밀짚모자 해적단의
집단지성 동료효과

※ 본문에 나오는 '동료파워'란 원제인 '仲間力(나카마료쿠)'을 번역한 말로, 일본에서 '仲間'란 동료보다 더욱 가까운 의미로 쓰입니다. 단순히 동료의 의미가 아니라 생각과 꿈을 공유하는 동료로 풀이할 수 있습니다. 이 책에서는 '원피스'만화의 번역을 따라 '동료'로 표기합니다. 따라서 '仲間力'를 '동료 효과'로 번역합니다.

밀짚모자 해적단의
집단지성 동료효과

야스다 유키

도토리하우스

내 편이 계속 늘어나는 루피의 '동료 효과'란?

주간 소년 〈점프〉에서 〈ONE PIECE(이하 원피스)〉를 연재하기 시작한 것이 1997년이었습니다.

이후 원피스는 일본 국민 만화가 되면서 현재(2023년 10월)까지 108권의 단행본이 출간되었습니다. 《원피스》는 2015년 6월 15일에 단일 작가의 만화 시리즈로 기네스북에 등재 되었고 67권은 초판 발행부수 405만부, 66권은 주간 매출 227만 5000부로 일본 출판 사상 최고 기록을 수립하기도 하였습니다. 해외 42개국 이상의 국가에서 판매되고 있으며 누적 판매부수는 2022년 기준 5억 2천만부를 돌파했습니다.

원피스는 왜 이렇게 큰 사랑을 받는 것일까요. 게다가 아이들뿐만 아니라 어른들까지 말 그대로 남녀노소 모두에게 사랑받고 있습니다.

단순하게 '재미있으니까'라는 이유만으로는 이렇게까지 선풍적으로 인기를 끌고 있는 현상을 설명하기 어렵습니다.

아마도 인기의 비결은 원피스의 중심 테마가 '동료'이기 때문은 아닐까요.

책에서 자세히 살펴보겠지만, 주인공 루피는 의형제 에이스를 구하지 못했다는 사실에 괴로워하며, 자신의 능력에 자신감을 잃습니다. 모든 것을 잃었다고 생각한 루피는 동료의 존재에 눈을 뜨면서 삶의 의욕을 되찾습니다.

"동료가 있어!!!" "그 녀석들을 보고 싶어어어어!!!"

60권 590화 《아우여》

오늘날 동료란 살아가는 데에 반드시 필요한 존재입니다. 동료가 있기 때문이야말로 모든 역경을 이겨내고 그 기쁨을 함께 나눌 수 있습니다.

누구나가 품고 있는 "허물없이 지낼 수 있는 동료가 있었으면 좋겠다."는 욕구가, 원피스를 대박 만화의 반열로 올렸다고 확신합니다.

"루피처럼 살았으면 좋겠다."

2011년 2월 9일에 NHK 방송 『클로즈업 현대』에서 원피스를 다루었습니다. 방송 제목은 "만화 『원피스』 대박의 비밀".

당시 저는 '동료 관계'에 대한 해설을 맡았었는데, 그때 한 주부의 말이 인상적이었습니다.

"내 아들도 루피 같은 삶을 살았으면 좋겠어요."

주인공 루피는 밀짚모자 해적단의 선장입니다.

주부의 말에 조금 보태자면, '루피처럼 동료를 소중히 여기고, 동료와 함께 무언가를 이루는 사람이 되었으면 좋겠다. 스스로 선과 악을 구별할 수 있는 사람이 되었으면 좋겠다'는 말이겠지요.

이 말은 오늘날 많은 사람들이 동료의 중요성을 절실히

깨닫고 있다는 사실을 상징합니다.

원피스를 좋아하는 독자라면 당연히 "나도 루피처럼 살고 싶다." "루피처럼 나도 좋은 동료를 갖고 싶다."고 생각하는 사람이 당연히 많을 것입니다.

또한 루피 이외의 등장인물에 자기 자신을 투영하는 사람들도 모두 같은 생각이겠지요.

그야말로 '동료'라는 존재 이유를 여기에서 공통적으로 찾을 수 있습니다.

이 책은 루피처럼 동료를 모으고, 인연을 맺고, 동료와 함께 큰 꿈을 실현시키는 방법에 대해 연구했습니다.

조로나 상디, 우솝이 루피를 위해 몸을 던지는 이유가 무엇인지. 마음속 상처를 지닌 나미나 로빈이 루피에게 마음을 열게 된 이유가 무엇인지. 애초에 밀짚모자 해적단은 무엇을 위해 싸우는 것인지.

원피스를 읽고 단순한 재미를 느끼거나 동경하는 것만이 아니라, 우리가 현실 세계를 살아가는 방법으로서 원피스에 녹아 있는 지혜를 얻는 것이 이 책의 목적입니다.

인맥을 쌓기 위한 책은 많이 나와 있지만…

평소에 적당한 거리를 유지하는 친구는 많지만, 진심으로 믿을만한 동료라고 부를 만한 사람이 많지 않은 것이 현실입니다.

진정한 동료를 얻는 것에는 장점뿐 아니라 단점도 있습니다.

'동료에게 맞춰 주어야 한다.', '동료를 위해 무언가를 해야 한다.'는 경우도 있을 테지요. 누군가와 친해지면 다른 누군가를 잃게 될 가능성도 있습니다.

저는 간사이대학에서 사람과 조직의 관계법을 분석하는 네트워크 이론을 연구하며 강의를 하는데, 대학에서 학생들을 마주하며 느낀 점이 있습니다.

대부분의 학생은 현장 분위기는 잘 파악하지만, 동료와 함께 과제를 완수하는 것에는 큰 의미를 두지 않는다는 사실입니다.

표면적인 친구 관계를 너무 소중히 여긴 나머지, 깊은 관계를 맺으려 하지 않습니다.

그러나 이들이 '다른 사람과 깊은 관계를 맺기 싫다'고 생각 하느냐 하면 반드시 그렇지도 않습니다. '진정한 동료가 필요하다.'고 마음속으로는 생각하면서도, 앞서 말한 리스크가 두려워 깊은 관계 속으로 발을 들여놓지 않는 것입니다.

원피스에 등장하는 인물들의 관계성은 매우 깊고 강력합니다. 학생들 역시 이러한 모습에 감동하며 눈시울을 붉힙니다. 세상 모든 사람들이 동경하는 확실한 인간관계가 만화에 투영되었기 때문에 원피스는 국민 만화로 성장할 수 있었습니다.

사람은 혼자서 살 수 없습니다. 나이와 성별을 불문하고 누구나 진실한 동료를 원하는 것이 당연합니다.

하지만 서점에는 동료를 찾는 법을 알려주는 서적이 거의 없습니다. 인기를 얻거나, 인맥을 넓히거나, 자신의 꿈을 실현하기 위한 기술에 관한 서적은 많지만, 진정한 동료를 찾기 위한 책은 없습니다.

오늘날 동료를 모으기 위한 방법, 동료와 함께 성장하는 방법, 그리고 동료와 함께 꿈을 이루는 방법이 매우 필요함에도 불구하고 이를 위한 서적이 없습니다.

구체적인 문장으로 표현되지는 않았지만, 원피스라는 만화 속에는 바로 이러한 것들을 위한 힌트가 많이 숨어 있습니다.

따라서 원피스와 함께 '동료 효과'를 생각해보는 것에 의의가 있습니다. 바로 이 점이 내가 책을 쓴 동기이기도 합니다.

동료는 억지로 모으려 해도 모이지 않는다.

미리 말해두고 싶은 사항이 있습니다.

동료를 모으는 것 자체를 목적으로 삼는 순간, 동료는 절대로 모이지 않을 것이라는 사실입니다.

그렇다면 동료를 모으기 위해 필요한 것은 무엇일까요.

정답은 원피스 안에서 찾을 수 있습니다.

주인공 루피는 현재_{단행본 63권까지} 8명의 동료가 있습니다. 모두 충분히 매력 있는 등장인물인데, 도대체 왜 이들은 루피를 따라가기로 결심한 것일까요.

그들은 루피의 꿈에 공감했기 때문입니다. 루피의 꿈은 '해적왕이 되는 것'인데 모두가 이 꿈에 매료되었던 것입니다.

즉, 동료란 꿈을 공유하는 사람입니다. 다시 말해 동료란 '혼자서는 도저히 이룰 수 없는 꿈을 공유하는 사람들'입니다.

따라서 동료를 모으기 위해서는 거대한 꿈이 필요합니다.

혼자 힘으로 이룰 수 있는 꿈은 굳이 동료를 모을 필요가 없습니다. 윗몸 일으키기를 500번 이상 하고 싶다는 꿈이라면 나 혼자 노력하면 됩니다.

즉 동료를 모아놓고 내가 하고 싶은 것이 무엇인지를 명확하게 제시하지 않는 한 동료는 모이지 않습니다.

이 세상에서 나 혼자 할 수 있는 일에는 한계가 있습니다.

아무리 작은 일이라도 혼자 힘으로는 도저히 해결하지 못하는 일이 많습니다.

확실한 꿈을 지닌 사람에게는 다른 사람을 끌어당기는 매력이 있습니다.

왜냐하면 본인의 생각에 흔들림이 없기 때문입니다. 이들은 꿈을 향한 행동이나 발언에 일관성 있습니다. 확실한 꿈도 없이 "동료가 필요하다." "인맥이 필요하다."고 말한들 진실한 동료가 모일 리 없습니다. 꿈의 크기나 확실함에 매력을 느낀 동료가 나에게 모여들기 때문입니다.

또한 그 확실한 꿈을 혼자서만 계속 추구하기도 어렵습니다. 그렇기 때문에 '동료'라는 존재가 필요합니다.

중요한 사실이니 다시 한번 말하겠습니다.

동료를 필요로 하는 사람은 많지만, 동료를 모으는 것 자체를 인생의 목표로 삼아서는 안 됩니다. 당신에게 공감하고, 주위에 사람들이 모일만한 크고 확실한 꿈을 갖는 것이 중요합니다.

만약 '자신에게 동료가 없다'고 생각이 든다면 먼저 '내가 무엇을 하고 싶은지'를 생각하는 것부터 시작해 보십시오.

그리 간단히 찾을 수는 없겠지만 '내가 하고 싶은 일'을 계속 생각하다 보면 반드시 꿈을 발견할 수 있습니다. 이것은 '누군가를 위해 해주고 싶은 일'일 수도 있습니다. 일시적인 꿈이라도 상관없으니, 먼저 꿈을 갖는 것 자체가 중요합니다.

밀짚모자 해적단의 집단지성 동료효과

동료와 함께라면 큰 꿈도 이룰 수 있다.

　진정한 동료를 찾게 되면 당신은 상상할 수조차 없는 어마어마한 꿈을 이룰 수 있습니다.

　혼자서는 힘들 것 같은 일과 마주쳐도 동료가 있다면 용기와 활기가 넘치기에, 사소한 난관으로 사기가 떨어지거나 포기하지는 않을 것입니다.

　그러기 위해 필요한 것을 이 책에서 살펴보고자 합니다.

　1.동료를 모으는 방법
　2.동료와 서로 돕는 방법
　3.동료와 신뢰를 쌓는 방법
　4.동료와 함께 성장하는 방법

　위의 4가지 방법에 대해 만화 원피스에서 우리는 힌트를 얻습니다.

이 책에서 말하는 '동료 효과'란 결국 "동료를 모으는 방법" "동료와 서로 돕는 방법" "동료와 신뢰를 쌓는 방법" "동료와 함께 성장하는 방법"을 말합니다.

만화라는 가공 세계뿐 아니라 현실 세계에서도 이 4가지는 우리에게 큰 힘을 줍니다.

동료 효과를 익히면 다음과 같은 효과가 나타납니다.

① 껄끄러운 상사나 동료와의 관계가 끈끈해짐
② 부하직원이나 후배의 신뢰를 얻음
③ 주변 사람들의 매력을 깨달음
④ 팀원의 마음이 하나가 됨
⑤ 우연히 만난 사람이 평생의 동료가 됨
⑥ 나이나 입장과 상관없는 진짜 동료가 나타남
⑦ 나를 지지하는 응원군이 생김
⑧ 진심으로 웃고 즐길 수 있는 벗이 생김
⑨ 내 편이 늘어남

그리고 루피의 '동료 효과'를 익힌다면 분명, 루피 일행처럼 모험을 즐기면서 살아갈 수 있을 것입니다.

PART 4

동료와 신뢰를 쌓는 방법

에필로그 ————————————————————————————

미래에 요구되는 루피의 '동료효과'

PART 1

동료 관계에
반드시 필요한 것

– 밀짚모자 해적단은 무엇을 위해 싸우는가? –

진정으로 마음 깊은 곳에서 함께 웃을 수 있는
동료와 진심으로 신뢰할 만한 동료를 찾으면서
한 발 한 발 앞으로 나아가면 됩니다.

서로 신뢰할 수 있는 동료와 함께
인생의 목표를 향해 돌진하라!

먼저 원피스의 내용을 간단히 살펴보겠습니다.

모든 부와 명예, 힘을 손에 넣은 전설의 해적왕 골드 로저가 남긴 '보물 중의 보물인 원피스'를 찾기 위해 많은 해적이 깃발을 올립니다. 이제 대해적 시대의 막이 오릅니다.

해적을 동경하던 소년 루피는 고향 마을에서 함께 지내던 해적단 선장인 빨간 머리 샹크스를 동경했습니다.

소년 루피는 샹크스 일당이 발견한 '고무고무 열매'라는 악마의 열매를 먹은 뒤 전신 고무인간이 됩니다. 악마의 열매를 먹은 사람은 '능력자'라고 불리지만, 이 능력을 얻은 대신 평생 수영을 못하는 몸이 됩니다.

샹크스 일당이 자리를 비운 사이 소년 루피는 샹크스를 모욕한 산적과 실랑이를 벌입니다.

산적은 루피를 바다에 던져 버리고, 루피는 앞바다 괴물인 해수에게 먹힐 위험에 처합니다. 이때 샹크스가 자신의 왼쪽 팔을 잃으면서 루피를 구합니다.

소년 루피는 샹크스에게서 바다의 무서움과 해적의 위대함을 배웁니다. '언젠가 해적왕이 되겠다.'는 꿈을 지닌 소년 루피에게 샹크스는 소중히 여기던 밀짚모자를 건네 줍니다. '언젠가 나에게 돌려다오.'라는 말을 남기고.

10년 뒤 열일곱 살이 된 루피는 그의 트레이드마크가 된 '밀짚모자'를 쓰고 마을을 떠납니다.

원피스의 세계에는 이스트 블루, 웨스트 블루, 노스 블루, 사우스 블루라는 네 구역의 바다가 존재합니다. 그리고 이 네 바다를 나누는 형태로 붉은 흙의 대륙^{레드 라인}과 위대한 항로^{그랜드 라인}가 위치합니다.

또한 원피스의 바다 세계에는 해군본부, 사황, 칠무해라는 3대 세력이 존재합니다. 해군본부는 바다의 질서를 지키고, 대해적 사황은 그랜드 라인의 뒤쪽 바다인 '신세계'에 군림하며, 해적 칠무해는 세계정부의 공인 하에 해적을 잡으러 다닙니다.

과거에 그랜드 라인을 제패한 이는 해적왕이었던 골드 로저가 유일합니다. 그가 남긴 보물 '원피스'도 그랜드 라인의 제일 끝에 있다고 알려져 있습니다.

루피는 이스트 블루에서 그랜드 라인을 향해 항해하는 도중, 거대한 적과 싸우면서 동료를 찾고 그들과 함께 성장해 나갑니다.

그랜드 라인을 제패하고 해적왕이 되는 것, 보물 원피스를 찾는 것이 그의 최종 목표입니다.

원피스는 간단히 말하면 동료를 모아 해적왕을 꿈꾸는 동료모험 판타지. 도전과 응전의 내용으로 이루어져 있습니다.

밀짚모자 해적단은 현재 9명입니다. 이들의 존재를 빼고

는 이야기를 풀어나갈 수 없기 때문에 먼저 간단하게 소개
하겠습니다.

· 몽키 D 루피 – 주인공이며 "밀짚모자 해적단"의 선장. 해
적왕이 되는 것이 꿈. 악마의 열매 '고무고무 열매'를 먹고
온몸이 고무처럼 늘어나는 '고무인간'이 됨.

· 롤로노아 조로 – 세 자루의 검이 무기인 검객. 세계 제일
의 검객이 되는 것이 목표. '해적 사냥꾼 조로'라고도 불림.

· 나미 – 항해사. '도둑 고양이'라고도 불림. 전 세계를 항
해하면서 직접 바다 지도를 만드는 것이 꿈. 귤과 돈을 매우
좋아함.

· 우솝 – 저격수. 거짓말을 잘 하는 것이 무기. 아버지와 같
은 용감한 바다의 전사가 되는 것이 꿈.

· 상디 – 요리사. 모든 물고기가 모여 있다는 전설의 바다

인 올블루에 가는 것이 꿈. 싸울 때에는 요리사의 생명인 손을 일절 사용하지 않고 발로만 공격함.

· **토니토니 쵸파** – 선의船醫. 모든 병을 고칠 수 있는 의사가 되는 것이 꿈. 원래 순록이었지만 악마의 열매인 '사람사람 열매'를 먹고 사람의 능력을 지니게 됨. 인간처럼 변신하거나 인간의 언어를 이용할 수 있다.

· **니코 로빈** – 고대 문자를 읽을 수 있는 고고학자. 악마의 열매인 '꽃꽃 열매'의 능력자. 진짜 역사의 본문리오 포네그리프을 찾아 이를 '라프텔위대한 항로의 마지막 섬'로 가져가는 것이 꿈.

· **프랑키** – 조선공. 사이보그. 자신이 만든 배를 타고 세계의 끝자락에 도착하는 것이 꿈. 의리가 있고 인정과 눈물이 많다.

· **브룩** – 음악가. 죽음을 경험하였지만, 악마의 열매 '부활 부활 열매'의 힘으로 해골로 부활. 끊임없이 기다리는 고래

라분에게 죽은 동료의 노래를 전해주는 것이 꿈.

주인공 루피는 '해적왕이 되겠다.'는 꿈을 안고 망망대해로 힘차게 나아갑니다. 이는 대학생이 사회로 나아가는 것이나, 회사에서 새로운 업무에 도전하는 것과 같습니다.

새로운 세계에는 당신이 도저히 납득할 수 없는 정의라는 이름으로 권력을 행사하는 사람, 속박하려는 사람, 혹은 당신의 꿈을 짓밟으려는 사람도 있습니다.

이런 사람들을 상대로 루피처럼 자신의 신념을 굽히지 않고 꿈을 쫓는 일은 분명 쉽지 않습니다.

하지만 어차피 인생이 모험이라면 이들처럼 즐기면서 살고 싶습니다. 진심으로 함께 웃을 수 있는 동료들과 충실하게 살아내는 것이야말로 후회 없는 인생이라고 할 수 있습니다. 시작은 미비하여 언제 뒤집어져도 이상하지 않을 작은 배이지만, 진심으로 신뢰할 만한 동료를 찾으면서 한 발 한발 앞으로 나아가면 됩니다.

루피는 이 모험에서 자신의 삶의 각오를 확실하게 전달합니다.

밀짚모자 해적단의 집단지성 동료효과

루피 "자신의 생명을 걸겠단 각오다!!"

2권 10화 《술집에서 생긴 일》

일상생활에서 진짜로 목숨을 거는 일이 많지는 않겠지만, 후회하지 않도록 하루하루를 열심히 살겠다는 사실을 자타가 공인하도록 확실하게 선언하는 것이 무엇보다 중요합니다.

본인의 기분이나 생각을 표현하지 않는
어려운 사람에게는 진정한 동료가 나타나지 않습니다.
미움 받지는 않겠지만, 사랑받지도 못합니다.

밀짚모자 해적단의 집단지성 동료효과

상냥하기만 해서는
동료가 생기지 않는다

친구나 지인과의 인간관계로 고민하는 사람도 많을 것
입니다.

이는 당신이 배려심이 없어서 혹은 너무 제멋대로이어
서도 아닙니다. 반대로 남을 배려하지 않고 제멋대로인 사
람은 인간관계에 대해 고민하는 일도 없습니다.

대학교에서 만나는 학생들이 주위 사람을 배려하거나,
장소에 적응하는 능력이 뛰어나다는 사실에 놀라곤 합니다.
학생들이 서로 비판하거나 비난하는 일은 거의 없습니다.

쉽게 말하면 그들이 매우 상냥하다는 뜻입니다.

장소에 적응하는 능력이 뛰어나 바람직하다고 할 수 있지만 문제점도 있습니다. 왜냐하면 이것만 가지고는 진정한 동료를 찾을 수 없기 때문입니다.

첫 번째 문제점은 범위가 제한되어 있다는 것입니다. 반경 3미터 이내의 사람에게는 상냥하지만, 3미터 밖의 사람에게는 관심이 없어 보입니다. 상당히 일시적이고 지속성이 없습니다. 따라서 깊은 유대 관계도 생기지 않습니다.

두 번째 문제점은 사고의 기준을 상대방에게 둔다는 것입니다. '그 장소'에 둔다고도 말할 수 있습니다. 본인의 의견보다도 함께 있는 사람들의 의견을 중요시하는 성향이 강합니다.

자신의 의견이 있더라도 발언하기를 주저합니다. 그 곳의 분위기를 흐리는 발언이라면 차라리 말하지 않는 편이 낫다고 생각합니다. 연약한 상냥함입니다.

따라서 무슨 생각을 하는지 도통 알 수 없는 사람으로 비추어집니다. 본인의 기분이나 생각을 표현하지 않는 '어려운 사람'에게는 진정한 동료가 나타나지 않는 법입니다.

밀짚모자 해적단의 집단지성 동료효과

미움받지는 않겠지만 사랑받지도 못합니다.

'혼자가 되는 것이 두렵다'는 마음은 충분히 이해합니다.
'다른 사람과 싸우기 싫다.', '미움 받기 싫다.', '따돌림
당하기 싫다.'는 것이 많은 사람들의 속마음이겠지요.
하지만 같은 장소에 있는 사람이나 분위기에 따라 변덕스
럽게 태도를 바꾼다면, 견고하고 오래가는 인간관계를 만들
수 없습니다. 인생이 너무 피곤해집니다. 인간관계에 지친
사람은 대개 다른 사람을 너무 신경 쓰는 경우가 많습니다.
중요한 것은 오래가는 인간관계입니다.
1년 뒤에도 2년 뒤에도 동료로서 함께 하기 위해서는 지
금 어떻게 해야 하는지, 가장 바람직한 행동을 생각하는 습
관을 들였으면 좋겠습니다.

싸우더라도 관계는 절대로 무너지지 않습니다.
서로의 의견을 주고받으며,
때로는 싸우기도 하지만 나중에는 진심으로 함께
웃을 수 있는 인간관계가 중요합니다.

밀짚모자 해적단의 집단지성 동료효과

루피와 우솝의
결투가 의미하는 것

원피스를 보면 루피 일행이 서로의 의견을 솔직하게 주고받으며 충돌하는 장면이 많습니다.

만화 세계에서는 '죽느냐 사느냐'의 문제이기 때문에 상대방을 신경 쓸 겨를이 없어서 그럴수도 있지만, 이런 장면을 제외하고 보더라도 항상 자신의 의견을 솔직하게 제시합니다.

때로는 동료끼리 싸우기도 하지만 신뢰관계가 흔들리는 일은 결코 없습니다. 반대로 본인의 생각, 인생에 신념이 없다면 동료로도 인정받지 못하는 것처럼 보이기도 합니다.

조로는 '세계 제일의 검객이 되겠다.'는 꿈이 있고 '앞으로 만날 검객에게는 단 한번도 질 수 없다.'는 신념이 있습니다. 나미 역시 '전 세계의 바다를 항해해서 세계의 바다 지도를 만들겠다.'는 꿈이 있고 '내 항해술은 절대적이다.'는 신념이 있습니다.

루피는 '해적왕이 되겠다.'는 신념이 있습니다.

그런데 그들이 동료를 전혀 신경 쓰지 않느냐 하면 또 그렇지도 않습니다. 동료의 자존심에 상처를 주지 않기위해 서로를 보통 이상으로 배려합니다.

루피와 우솝이 싸웠을 때도 그랬습니다. '남자끼리의 결투'에서 패배한 우솝에게 동료들은 아무 말도 건네지 않고 그냥 지켜 봅니다. 말을 건네고 동정하면 우솝의 자존심이 상처를 입는다는 사실을 잘 알기 때문입니다. 자칭 '긍지의 우솝'이기에, 결투에 패했는데 거기다가 동정까지 받는다면 그것만큼 비참한 일은 없을 테니까요.

밀짚모자 해적단의 집단지성 동료효과

싸우더라도 관계는 절대로 무너지지 않는다

이래야만이 진실한 동료가 아닐까요?

이런 관계를 맺기 위해서는 본인의 신념을 확고히하여 동료에게 말로 제대로 전달하는 것이 중요하다는 사실을, 원피스는 알려줍니다.

신념이란 자신의 꿈을 갖는 것이며 그 꿈을 위해 어떤 것도 포기하지 않는 것입니다.

신념이 있다면 다른 사람의 의견 때문에 자신의 의견을 굽히지는 않을 것입니다. 장소에 따라 분위기에 따라 의견이 바뀌는 모순된 사람이 되지는 않겠지요.

혼자라는 고독감이나 오랜 경기침체로 인한 불안감에서 해방되고 싶다는 마음에, 사람들은 너무 쉽게 다른 사람에게 맞추어 버립니다.

표면적인 인간관계가 과연 고독이나 불안을 없앨 수 있을까요?

그럴 리가 없습니다. 서로의 의견을 주고받으며, 때로는 싸우기도 하지만 나중에는 진심으로 함께 웃을 수 있는 인간관계가 중요합니다.

　원피스에는 많은 해적단이 등장합니다. 대부분은 수십 명, 수백 명의 선원이 함께합니다. 개중에는 수천 명의 선원이 있는 해적단도 등장합니다.

　그러나 밀짚모자 해적단의 선원은 겨우 9명. 불과 9명에 불과한 선원의 견고한 결정체입니다. 그야말로 양보다 질이 중요하다는 사실을 잘 보여줍니다.

　중요한 것은 동료의 수가 아닌 동료의 질입니다.

어려운 상황에서 루피 일행을 구한 것은
수리가 불가능한 고잉 메리호였습니다.
메리호는 너덜너덜해졌지만
'한 번만 더 달리고 싶다'는 바람이 기적을 일으켰습니다.

고잉 메리호와의 이별에
나도 모르게 눈물이

왜 원피스가 많은 사람들에게 사랑받는 것일까요?

원피스에는 매력적인 인물들이 등장하는데, 적어도 누군가 한 명과는 깊은 공감대를 형성할 수 있는 등장인물이 있다는 사실이 원피스가 사랑받는 큰 이유 중 하나라고 생각합니다.

제가 특히 좋아하는 장면은 고잉 메리호가 침몰하는 부분입니다.

고잉 메리호는 루피 일행 밀짚모자 해적단의 첫 해적선

밀짚모자 해적단의 집단지성 동료효과

입니다. 우솝이 태어나고 자란 섬의 대부호인 카야에게 받은 범선입니다. 고잉 메리호는 사람은 아니지만 밀짚모자 해적단과 함께 싸운 소중한 동료입니다.

여행을 시작한 바다 이스트 블루에서부터 '해적 묘지'로 불리는 그랜드 라인까지 모두 이 해적선으로 항해하였습니다.

'아일랜드 고래'라는 세상에서 가장 큰 고래^{이름은 라분}와 부딪혀 메인마스트가 부러지기도 했고, 하늘 섬에 가기 위해 7000미터 상공으로 오르기도 하면서 배는 여러 번 너덜너덜해졌습니다.

그때마다 우솝이 수리를 담당했는데 결국에는 수명을 다합니다.

'물의 섬, 조선의 도시'로 유명한 워터 세븐 섬에서 조선공에게 배의 수리를 부탁했는데, 배의 생명이라고도 할 수 있는 용골이 심하게 손상되어 "그러니까 이젠 아무도 고칠 수 없다. 너희들의 배는 이제 죽기만을 기다리고 있는 나무 조각 더미에 불과해."^{35권 328화 《해적 유괴사건》}라는 말을 듣습니다.

이에 새로운 배를 구하기로 마음을 정한 루피와, 메리호에 집착하는 우솝이 싸우게 되는데 바로 이때 사건이 발생

합니다.

동료 로빈이 세계정부의 비밀첩보기관 CP9싸이퍼 폴 No.9에 끌려간 것입니다. 루피 일행은 로빈을 구하기 위해 세계정부의 법정이 있는 에니에스 로비로 찾아갑니다.

에니에스 로비에서 적군 로브 루치에게 이긴 루피 일행은 해군 함대에게 포위당하면서 빠져나갈 길을 잃습니다.

이때 루피 일행을 구한 것은 너덜너덜해서 수리가 불가능한 바로 그 고잉 메리호였습니다.

메리호는 "돌아가자 모두!! 다시…… 모험의 바다로!! 데리러 왔어!!"라며 루피 일행을 맞이합니다. 너덜너덜해졌지만 '한 번만 더 달리고 싶다.'는 바람이 기적을 일으켰습니다.

그러나 배의 수명은 이미 오래 전에 다한 상태였습니다. 무사히 해군 함대에서 빠져 나온 순간 메리호는 힘을 잃고 맙니다. 그러고는 동료들이 지켜보는 가운데 화염에 휩싸여 바다로 가라 앉습니다.

메리호는 이렇게 속삭입니다.

"미안해. 좀더 먼 곳까지 모두를 데려다주고 싶었어…"

44권 30화《쏟아져 내리는 추억의 눈송이》

이 장면은 읽을 때마다 눈물이 납니다.

저는 가르치는 사람이기에 항상 학생들에게 "공부해라, 공부해라."라고 지겹도록 잔소리를 합니다.

그러나 매년 졸업식에서 학생들을 사회로 내보낼 때마다 '좀더 먼 곳까지 모두를 데려다 주고 싶었다.'며 눈물을 흘리곤 합니다. 학생들을 좀더 성장시켰더라면 하는 감정이 복받칩니다.

졸업 후에는 학생들과 사회인으로서 대등한 입장에 서게됩니다. 졸업식에서는 그전에는 표현하지 못했던 감정을 분출하는 순간입니다.

마음속에 숨겨놓았던 생각이나 감정이
한꺼번에 북받쳐 오르는 순간, 홀로 견뎌냈기 때문에
솔직해질 수 없는 감정이나 생각을 풀어놓는 순간은
큰 감동을 줍니다.

당신은 동료에게 "도와줘"라고
말할 수 있나요?

이 밖에도 나도 모르게 눈시울이 뜨거워지는 장면이 많습니다.

특히 감정이나 속마음을 솔직하게 표현하지 못하던 등장인물이 모든 속박에서 해방되면서 자신의 진심을 풀어놓는 장면에서 저는 심하게 동요합니다.

나미가 태어난 마을은 어인 아론이 지배하였습니다. 양어머니 벨메일이 살해당하자 나미는 아론에게서 마을을 되찾기 위해 홀로 결심합니다. 이때가 그녀가 고작 열 살 어린 소녀였을 때였습니다.

"1억 베리로 마을을 사겠다."고 아론과 약속한 나미는 아론을 위해 해도를 그리면서 해적 전문 도둑이 되어 돈을 모았습니다^{베리는 원피스 세계의 화폐 단위}.

나미는 8년간 아무 도움 없이 온전히 혼자 힘으로 싸우면서도 힘들다는 소리 한 번 하지 않았습니다. 이제 조금만 더 모으면 1억 베리가 되는 시점에서 아론이 그녀의 돈을 모두 빼앗아 버립니다.

어찌할 바를 모르던 나미는 지금까지 아무에게도 보여준 적 없는 비통한 표정으로 루피에게 "도와줘."라고 간절히 말합니다.

루피는 이 말을 듣고 "당연하지!!!!!"라고 외치며 아론을 무너뜨릴 결심을 합니다.

이 장면에서 감동받은 사람이 많을 것입니다.

저 역시도 그렇습니다. 나미가 8년간의 고통을 토로했고, 루피가 이를 확실하게 받아주었기 때문입니다.

마음속에 숨겨놓았던 생각이나 감정이 한꺼번에 북받쳐 오르는 순간, 동료에게 이를 풀어놓는 순간은 모두 명장면입니다.

어렸을 때부터 '요괴 계집', '악마의 자식'이라고 불리던 니코 로빈은 "내 삶을 희망해서는 안 된다."고 단정 지어 버립니다. 역사를 연구하며 살고 싶다는 진심을 갖고 있지만, 루피 일행에게 피해를 준다면 본인이 죽는 것이 낫다고 생각합니다.

그러던 로빈이 벼랑 끝에서 루피 일행을 향해 "살고 싶어!!!!!"라고 외칩니다.

홀로 견디기를 반복하다보니 전달하기 어려웠던 감정이나 생각을 동료에게 솔직하게 풀어놓는 순간은 큰 감동을 줍니다.

우리는 다소 차이는 있을지라도 비슷한 상황에서 살아가고 있습니다.

자신의 감정과 생각을 솔직하게 표현하지 못하는 미숙함을 갖고 있습니다. 사회에서 우리의 슬픔이나 고통을 사람들 앞에 쉽게 드러내서는 안 된다고 끊임없이 배웠습니다. 하지만 이것은 정말로 맞는 것일까요? 바로 이 점이 인간관계의 장애 요소는 아닐까요?

부모에게 솔직하지 못하는 아이, 친구에게 솔직하게 도움을 요청하지 못하는 사람, 직장 상사에게 솔직하게 자신의 의견을 말하지 못하는 부하직원, 연인에게 솔직한 마음을 전하지 못하는 사람……

솔직해지는 것은 어렵습니다. 그렇기 때문에 자신을 투영할 수 있는 등장인물에 공감하고, 그들의 진심 어린 외침에 감정이입되는 것이라고 생각합니다.

동료가 진심으로 요청하는 도움에는
반드시 답하는 것이 중요합니다.
결코 가벼이 여기거나 무시하지 않아야 합니다.
진심이 담긴 생각이나 절망적인 말, 위기 상황에 구원을
요청하는 동료에게는 반드시 대응합니다.

동료의 SOS에는
무조건 답하라

도움을 요청받은 사람의 태도가 중요합니다.

앞선 나미의 "도와줘."에 대해 루피는 "당연하지!!!!!"라고 큰 소리로 답하며 그녀를 돕습니다. 이 때 루피는 평소에는 건들지도 못하게 하던 자신의 소중한 밀짚모자를 나미에게 씌워줍니다. 루피의 신뢰와 각오의 표현입니다.

니코 로빈의 경우도 마찬가지입니다. 로빈의 "살고싶어!!!!!!"에 대해서도 루피 일행은 "로빈!!! 반드시 구해줄게!!!"라고 답합니다. 설령 세계정부라는 거대 조직을 적으

밀짚모자 해적단의 집단지성 동료효과

로 돌린다 해도, 루피 일행은 온힘을 다해 로빈을 구해낼 것입니다.

원피스 안에서는 '도와달라……'는 대사에 '반드시 돕겠다!'는 동료의 대사가 한 세트입니다.

즉, 동료가 진심으로 요청하는 도움에는 반드시 답하는 것이 중요합니다. 결코 가벼이 여기거나 무시하면 안됩니다.

진심이 담긴 생각이나 절망적인 상황에서의 말, 위기 상황에서 도움을 요청한 동료에게는 반드시 대응할 것.

이것이 가능한 사람은 의외로 적을 것입니다.

예를 들어 당신의 친구가 위기 상황에 빠져 있다고 가정해 봅시다. 친구가 도움을 요청했을 때 당신은 어떻게 하나요? 도움을 요청하는 것을 제대로 알아듣지 못하거나, 속뜻을 이해하지 못하고 이야기를 도중에 끊거나, 거짓말과 일반론으로 치부하거나, 귀찮을 것 같아 거리를 두지는 않았나요?

바로 지금이 상대가 나를 필요로 하는 순간이라는 것을
분별하는 일이 얼마나 중요한지, 나아가서는 그 상황에서
필요한 것은 오로지 나 자신의 각오라는 사실을 만화 원피
스가 알려 줍니다.

주위에 존경할 만한 사람을 굳이 찾을 필요는 없지만
당신의 주위에 이상적인 상사가 있다면,
당신의 능력은 확실하게 향상될 것입니다.

흰 수염은
매우 이상적인 상사

　회사에 존경할 만한 선배나 상사가 있다면 큰 혜택을 받았다고 할 수 있습니다. 이상적인 어른의 본보기가 한 명이라도 있다면, 당신의 능력은 확실하게 향상될 것입니다. '저 사람처럼 되고 싶다.'는 목표가 있어야만 사람은 성장할 수 있기 때문입니다.

　그러나 현실 사회에서는 이상적인 어른이 좀처럼 눈에 띄지 않습니다.

　'최소한 저런 사람은 되지 말자.'고 할 만한 상사만 많고,

자신의 미래상을 그런 상사에게 투영시키면 우울해지는 경우가 더 많습니다.

자랑만 하는 상사나 선배에게 질린 사람도 많습니다. 당신이 동경할만한 '멋진 어른'은 주변에 거의 없습니다.

주위에 존경할 만한 사람을 찾지 못한 경우에는 어떻게 하면 될까요?

이상적인 어른을 굳이 가까이에서 찾아야 할 필요는 없습니다.

역사적으로 이상적인 어른의 본보기를 찾아도 괜찮습니다. '이순신 장군처럼 되고 싶다' '마더 테레사처럼 되고 싶다'.

물론 만화를 포함한 책도 괜찮습니다. 원피스의 등장인물에는 이상적인 어른이 많습니다.

흰 수염 해적단의 에드워드 뉴게이트^{통칭 흰 수염}도 전형적인 예입니다.

흰 수염 해적단은 사황이라고 불리는 4명의 대해적 중 하나로, 해적왕에 가장 근접한 인물입니다. 그러나 흰 수염은 명성이나 권력에도, 그리고 '보물 원피스'에도 관심이 없습니다.

그가 소중히 여기는 것은 '가족'입니다.

여기에서 말하는 가족이란, 피를 나눈 진짜 가족이 아니라 자신을 아버지라 부르며 우러르는 선원들입니다. 흰 수염은 선원들을 '아들'이라고 부릅니다. 그리고 아들들의 행동을 큰 포용력으로 받아들입니다.

흰 수염의 아들^{진짜 아들은 아님}이며 루피의 의형제인 포트거스 D 에이스가 해군에 잡혔을 때도 마찬가지였습니다.

에이스는 흰 수염의 반대를 무릅쓰고 대역죄인인 동료 살인자를 쫓다가 되려 세계정부에게 붙잡히고 맙니다.

에이스를 구하기 위해 루피와 흰 수염 해적단은 해군본부로 들어갑니다.

'정상 전쟁'이라고 불리는 이 장면은 원피스 최대의 클라이맥스라고 해도 과언이 아닙니다.

"왜 못 본 척 버리지 않는 거야!!! 내가 멋대로 굴어 이렇게 되고 말았는데……!!!"

"아니… 난 분명 가라고 말했다. 아들아."

57권 552화 《에이스와 흰 수염》

에이스에게 대답하는 흰 수염의 말에 정말 감동 받았습니다.

흰 수염은 이렇게 에이스를 감싸줍니다. 자식이 한 일을 부모가 책임 진다는 것. '자식을 지키고 돌보는 것은 당연하다.'는 미학을 엿볼 수 있습니다.

현실 세계에서 흰 수염을 이상적인 상사라고 생각하는 사람도 있을 것입니다. 흰 수염에게 응석을 부리라는 것이 아니라, 스스로 '흰 수염 같은 상사가 되겠다'는 의지를 가지면 좋겠습니다.

이런 의지는 반드시 인간적인 성장으로 이어집니다. 결국 흰 수염처럼 많은 동료들^{아들들}이 주위에 모여 들면 바로 이것이 당신의 힘이 됩니다.

루피는 그 누구에게도 도움을 요청하지 않습니다.
먼저 자신의 힘으로 모든 고난을 극복하고자 노력합니다.
이런 루피이기 때문에 주위 어른들이 매료되는 것입니다.
자신도 모르게 도와주고 싶은 마음이 생기는 것입니다.

밀짚모자 해적단의 집단지성 동료효과

왜 어른들은
루피를 도와주려고 하나?

원피스에는 포용력 있는 어른이 많이 등장합니다.

루피의 생명의 은인인 빨간 머리 샹크스, 패기에 대해 알려준 명왕 레일리, 상디의 스승인 붉은발 제프, 나미의 양어머니였던 벨메일, 쵸파에게 의술을 알려준 닥터 히루루크와 닥터 쿠레하, 니코 로빈을 살리기 위해 목숨을 던진 사우로, 프랑키의 스승인 톰……

어인 해적단의 징베 대장도 그중 한 명입니다. 조로가 머리를 숙인 매의 눈 미호크도 매력적인 어른입니다. 한 명씩 열거하자면 끝이 없습니다.

힘을 지닌 어른에게는 사람을 끌어 당기는 무언가가 있습니다.

그리고 루피 일행은 이런 어른의 도움을 많이 받습니다.

스스로의 힘으로는 아무 것도 할 수 없는 상황에서 그들을 도와주는 것은 항상 훌륭한 어른들입니다.

해군 비밀 병기인 파시피스타에게 대항조차 못한 루피 일행을 구해준 것은 칠무해 중 한 명인 바솔로뮤 쿠마였습니다.

의형제 에이스가 죽은 후 자포자기하던 루피에게 살아갈 힘을 불어넣어 준 사람은 어인 해적단의 징베 대장입니다.

젊은이들을 위해 희생당하는 것도 항상 어른들입니다.

자신의 목숨과 바꾸어 나미를 구한 벨메일도, 차세대 젊은이들을 지킨 흰 수염도 결국에는 목숨을 잃고 맙니다.

다시 말해, 어른들은 목숨을 던져 다음 시대를 이끌 젊은이들을 지키고 구해줍니다.

현실에서도 기업과 정치 지도자들이 차세대 젊은이를

밀짚모자 해적단의 집단지성 동료효과

육성하는 것은 의무이자 가장 바람직한 모습입니다.

그러나 유감스럽게도 실제로는 그렇지 않습니다.

회사에서 젊은 직원을 진심으로 생각하며 키워주려고 하는 상사는 의외로 적습니다. 부하직원를 배려한다고 하면서도 결국에는 본인의 방식이나 생각을 강요하는 경우도 많습니다.

개인의 성장을 위해서는 어느 정도 '맡기는 것'이 중요합니다. 그리고 일이 제대로 풀리지 않을 때에는 도움의 손길을 내밀어야 합니다. 어처구니 없이 실패했다 하더라도 절대로 비난하지 않고 도와주기. 이런 존재가 있어야만 비로서 사람은 성장할 수 있습니다.

한편 젊은 세대들도 윗세대의 도움을 바라기만 해서는 안 됩니다.

당신과 상사, 당신과 선배가 얼마나 끈끈한 신뢰 관계를 형성하느냐는 당신이 얼마나 열심히 노력하느냐에 달렸습니다.

루피는 어떻게 많은 어른들의 도움을 이끌어낼 수 있었

을까요?

어른들 입장에서 보았을 때 루피는 '죽지 않았으면 하는 존재'이기 때문입니다. 루피가 살기 위해 필사적으로 노력하기 때문입니다.

루피는 그 누구에게도 도움을 요청하지 않습니다. 먼저 자신의 힘으로 모든 고난을 극복하고자 노력합니다. 또한 자신이 필사적이라는 사실도 굳이 숨기지 않습니다.

이런 루피이기 때문이기에 주변 어른들이 매료되는 것입니다. 자신도 모르게 힘을 보태주고 싶은 마음이 생기는 것입니다.

'죽지 않았으면 하는 존재'란 현실에서는 '키우고 싶은 존재'를 말합니다.

루피처럼 큰 목표를 향해 열심히 노력하는 모습을 보여주면 주위 어른들이 자연스레 힘을 보태줄 것입니다. 공감할 수 있는 꿈을 갖고 열심히 사는 사람을 방치하기란 쉬운 일이 아닙니다.

내가 먼저 도움을 요청하지 않아도 주위에서 알게 모르게 도와주고 싶은 존재가 되는 것이 가장 이상적입니다.

드래곤볼이 가족 집합체라면
원피스는 동료라는 집합체라고 할 수 있습니다.
행동 단위가 가족 중심에서
동료라는 집합체로 변화하였습니다.

드레곤볼과 원피스의
결정적 차이

원피스를 논하는 데에 있어 미리 짚어두고 싶은 점이 〈DORAGON BALL^{이하 드래곤볼}〉과의 차이입니다.

드래곤볼은 1984년부터 1995년까지 '주간 소년〈점프〉'에 연재된 만화입니다.

원피스와 드래곤볼의 다른 점은 주인공이 형성하는 집합체의 모습에서 찾을 수 있습니다.

드래곤볼은 '가족'을 명확하게 묘사합니다.

주인공 손오공은 치치와 결혼하여 손오반, 손오천을 낳

습니다. 생활의 기본 단위는 어디까지나 가족입니다.

가족의 안전을 위협하는 존재, 즉 지구를 멸망시키려는 적들과 싸우면서 성장하는 것이 드래곤볼의 주요 내용입니다.

하지만 원피스에서는 가족이라는 개념이 뚜렷하지 않습니다. 루피의 할아버지 몽키 D 거프나, 아버지 몽키 D 드래곤, 의형제 에이스라는 존재는 있지만 그들이 함께 행동하지는 않습니다.

이것은 무엇을 의미할까요?

예전에는 가족의 존재가 절대적이었습니다. 아버지가 가장 훌륭하고 그 다음은 맏형이라는 유교의 영향이 짙게 남아있었습니다. 결혼 역시 본인들만의 문제가 아니라 각 집안과 집안의 문제라고 여겨졌던 것도 전형적인 예입니다. 드래곤볼의 독자는 가족의 굴레가 남아있는 마지막 세대입니다.

그러나 원피스 세대는, 가족이 소중하기는 하지만 굳이 함께 행동해야 하는 집합체로 인식하지는 않습니다. 가족

안에서만 머무르는 것이 아니라 가족 밖으로 나와 자신의 꿈을 이루는 것이 중요합니다.

루피의 할아버지 거프는 해군본부 중장이며, 아버지 드래곤은 '세계 최악의 범죄자'로 불리는 혁명가입니다. 의형제 에이스는 루피와 다른 해적단의 일원입니다. 가족과 서로 다른 길을 걷는 내용은 드래곤볼이 대표하는 지금까지의 만화에서는 찾아볼 수 없던 설정입니다.

즉 행동의 단위가 가족이라는 집합체에서 동료라는 집합체로 바뀌었다고 할 수 있습니다.

아마도 이것은 사회의 당면과제가 변했기 때문이라고 생각합니다. 태어나고 자란 사회 계급이나 가족이라는 우선순위 때문에, 자신의 직업과 결혼 상대를 선택하는데에 얼마나 자유로울 수 있을지를 걱정하는 사람은 오늘날 많지 않습니다.

오히려 가족이나 회사에서 요구하는 역할을 완수하는 것만으로는 충분하지 않습니다. 이 과정에서 누구와 무엇을 할 것인가, 스스로 목표를 찾고 어떻게 행동할 것인가가 오늘날의 과제입니다. 이를 위해 어떠한 사람과 관계를 맺느냐에 대해 모두가 연구하기 시작하였습니다.

요즘 시대에는 집안의 반대에 부딪혀 결혼을 못했다는 이야기도 듣기 어렵고, 가난한 가정에서 헝그리 정신으로 출세했다는 이야기도 공감하기 어렵습니다.

사회의 과제가 어떤 동료와 함께 어떤 꿈을 이룰 것인가로 이동했습니다.

루피 일행은 '동료를 위해서라면 목숨을 걸겠다.'고 말합니다. 가족도 중요하지만 동료라는 존재를 훨씬 소중히 여깁니다. '동료는 쉽게 얻을 수 있는 것이 아니니 소중히 해야 한다.'고 말입니다.

이 주제에 매력을 느끼는 사람이 많았기에 원피스는 많은 독자의 마음을 얻을 수 있었습니다. 공감가는 내용이 많은 점도 그렇습니다.

드레곤볼과 원피스의 차이

	드래곤볼	원피스
집합체	가족	동료
적	가족의 안전을 위협하는 존재	동료와의 관계를 끊으려는 악의
활동 장소	한 장소에 머무르며 외부의 적과 싸움	계속 이동하며 꿈을 쫓음

행동의 단위가 가족에서 동료라는 집합체로 바뀌었다.

루피는 자유를 빼앗는 존재와 싸웁니다.
자율성이나 자신의 행동을 스스로 결정할 권한이 없다는
것을 용납하지 않습니다.

밀짚모자 해적단은
무엇을 위해 싸우는가?

루피의 밀짚모자 해적단은 도대체 무엇을 위해 싸우는 것일까요?

이 문제에 대해서는 다양한 의견이 있을 수 있습니다.

'자유'를 빼앗는 존재와 싸운다는 의견도 가능합니다.

나미가 아론에게 붙잡힌 장면이 전형적인 예입니다. 아론은 나미를 방 안에 가둬놓고 계속 해도를 그리게 합니다. 아론은 다음과 같이 말합니다.

"밥도 줄 거야. 좋아하는 옷도 사줄 거다! '살아간다'는 거에 부족한 건 아무것도 없을 거야. 오직 날 위해서 해도를 그려주기만 하면 되는 거다.”

나미의 이런 상황을 알게 된 루피는 방 안에서 분노합니다.

“이런 방이 있으니까 안 되는 거야!!! 녀석이 있고 싶어 하지도 않는 장소 따위 내가 전부 없애버리겠어!!!”

11권 93화 《밑으로 가겠습니다》

이렇게 소리를 지르며 루피는 책상을 집어던지고, 지금까지 나미가 그린 어마어마한 양의 해도를 찢어버립니다. 마직막에는 건물까지도 무너뜨립니다.

무엇이 이토록 루피를 화나게 한 것일까요?

그것은 바로 ‘자유의 결여’입니다.

아무리 밥을 준다 해도 아무리 옷을 사준다 해도 아무리 주거가 보장된다 해도 그곳에는 자유가 없었습니다. 자율성이나 자신의 행동을 스스로 결정할 권한이 없습니다. 사회학에서는 이런 상태를 ‘자기 소원self-estrangement’이라고 부릅니다.

자유가 없다는 사실을 루피는 용납할 수 없었습니다.

꿈은 동료 관계를 이어주는 접착제 역할을 합니다.
꿈을 짓밟는 자, 꿈을 비웃는 자를 상대로
루피 일행은 철저하게 투쟁합니다.

밀짚모자 해적단의 집단지성 동료효과

남자에겐 절대로 싸움을
피해선 안 될 순간이 있다

　루피가 싸우는 상대에 대해 조금 더 자세히 살펴보겠습니다.

　'동료'에 초점을 맞추다 보면 적의 형태는 분명히 드러납니다.

　루피 일행은 동료와의 관계를 끊으려는 악의와 싸웁니다.

　루피 일행이 싸우는 상대는 동료와 동료를 연결하려는 꿈을 파괴하는 존재입니다.

'꿈'은 동료 관계를 이어주는 접착제 역할을 합니다. 꿈을 짓밟는 자, 꿈을 비웃는 자를 상대로 루피 일행은 철저하게 투쟁합니다.

"……남자에겐!!! 절대로… 싸움을 피해선 안 될 순간이 있다……!!!"

"그건 동료의 꿈이 비웃음을 당했을 때야!!!!"

"루피는 죽지 않아. 그 녀석은 언젠가 꼭 '해적왕'이 될 거니까. 그 녀석만은 비웃지 못한다!!!!"

20권 186화 《4》

이것은 우솝의 대사입니다. 밀짚모자 해적단 중에서 가장 전투력이 낮은 그는 겁쟁이인 성격 탓에 승산 없는 싸움에서는 금새 꽁무니를 뺍니다. 하지만 "선장도 약해빠졌으니 선원들도 겁쟁이들 뿐이라 이건가…!!"라는 소리를 듣고는 그의 분노가 폭발합니다.

이 장면에서는 동료의 꿈을 비웃음당한 데 대한 분노의 힘으로 압도적으로 실력 차이가 나는 상대까지도 무너뜨립니다.

밀짚모자 해적단의 집단지성 동료효과

동료란 영속성을 기대할만한 조직입니다. 동료를 '다음 날에도, 그 다음 날에도 함께 할 인물'로 정의할 수도 있습니다.

그렇기 때문에 이런 상태를 위협하는 적이나 위기에 대해 루피 일행은 민감하게 반응합니다. 함께하는 관계를 파괴하려는 악의와 철저히 맞서싸웁니다.

우리가 동료를 위해 싸울 일이 있을까요? '내일도, 그리고 내일 모레에도 함께 있고 싶다. 그러니까 지켜주겠다.'고 말할 만한 사람이 주위에 있습니까?

당신은 누군가에게 이런 존재였던 기억이 있습니까?

당신은 누군가와 함께하는 시간이나 공간을 지켜내기 위해 싸운 적이 있습니까?

루피 일행이 동료를 생각하는 태도에서 우리가 배울 점이 많습니다.

| PART 1 | 동료 관계에 반드시 필요한 것

· 꿈을 갖는다.

· 의견을 말한다.

· 신념을 갖는다.

· 동료의 수가 아닌 동료의 질을 중요시한다.

· 동료에게 감정을 표출한다.

· 동료를 도울 때에는 온힘을 다한다.

· 되고 싶은 어른, 이상적인 상사의 모습을 찾는다.

· 가족이나 회사의 굴레에서 벗어난다.

· 자유와 꿈은 무슨 일이 있어도 포기하지 않는다.

루피 괜찮은걸… 세계 제일의 검객!
　　해적왕의 동료라면 그쯤은 돼야
　　내 얼굴이 서지!

1권 6화 《첫 번째 동료》

PART 2

동료를 모으는
방법

- 서로 다른 꿈을 가진 사람들이 '하나'가 되는 이유 -

매력있는 인물 주위에는
역시나 매력적인 사람이 모여들게 마련입니다.
친구 관계는 그 사람에 대한 귀중한 정보를 알려줍니다.

밀짚모자 해적단의 집단지성 동료효과

동료를 보면
내 자신도 보인다

대부분의 사람들은 '자신에게 어떤 친구가 있는지' 자주 이야기합니다.

'나는 ○○와 같은 친구가 있다.' '나는 ○○를 알고 있다.'는 것이 중요하고, '자신이 어떤 사람인지'를 알려주는 데는 관심을 두지 않습니다 느낌을 받습니다. 대개가 본인의 존재를 알리기 위해 지인의 존재를 과시합니다.

이것이 잘못되었다는 이야기는 아닙니다. 오히려 네트워크 전문가인 제 입장에서 보자면 상당히 납득할 만한 행동입니다.

주위에 어떤 친구가 있는지를 확인하면 당신이 어떤 사람인지도 파악할 수 있습니다. 물론 모든 것을 알 수는 없지만, 어떤 사람과 어떤 관계를 맺고 있는지를 분석해보면 그 사람에 대해 어느 정도 추측할 수는 있습니다.

매력 있는 사람 주위에는 역시나 매력적인 사람이 모여들게 마련입니다. 친구 관계는 그 사람에 대한 귀중한 정보를 알려 줍니다. 이는 기업을 조사할 때, 그 기업이 어떤 기업 혹은 은행과 거래하는지를 조사하는 것과 같은 이치입니다.

즉 동료와의 조합은 당신의 본질을 드러내는 방식이기도 합니다.

동료의 존재로 인해 내 자신이 변화하고, 나 역시도 동료를 변화시킵니다. 이를 '상호진화相互進化'라고 부릅니다.

저의 전문 분야인 사회 네트워크 분석에서는 사람이나 조직의 연결 방식을 연구합니다. 인간관계뿐만 아니라 회사나 산업의 관계성에 대해서도 다양한 수리數理모델을 이용하여 분석합니다.

직장 조직론도 연구 주제 중 하나입니다. 어떤 사람들끼리 모여야 본인의 능력을 최대한으로 발휘하는지를 연구합니다. 또한 이메일을 추적하여 누가 어떤 사람과 연결되어 있는지, 누가 정보의 발신원인지, 누가 핵심 인물인지를 분석하기도 합니다.

최근에는 인스타그램 등의 소셜 미디어에서 어떤 인간관계를 구축하는지를 조사하여 사회학적으로 고찰하고 있습니다.

이런 저에게 있어서 등장인물이 많고, 게다가 인간관계가 복잡하게 얽혀 있기까지 한 원피스는 매우 흥미로운 연구 대상입니다.

그 이유 중 하나는 루피를 중심으로 하는 동료의 균형이 상당히 뛰어나다는 것입니다.

루피는 스스로에게 부족한 부분을 찾고 이를 보완해 줄 동료를 고릅니다. 항해사, 요리사, 선의船醫, 조선공, 음악가처럼 자신의 해적단에 필요한 인재를 찾아나섭니다. 사회학에서 말하는 '유기적 연대', 즉 각자의 능력을 잘 활용하는 훌륭한 분업 형태인 것입니다.

루피는 단순하게 좋아서 또는 마음에 들어서라는 이유로 동료를 맞이하지는 않습니다. 본능적으로 바람직한 동료의 형태를 루피는 알고 있는 것입니다.

이번 장에서는 '동료를 모으는 방법'에 대해 살펴보겠습니다.

혼자서는 이룰 수 없는 꿈을 공유한다면
언젠가는 동료 각자의 꿈은 이루어진다는
믿음이 있기 때문입니다.

서로 다른 목표를 가지고 있는데도
하나가 되는 이유는?

가장 중요한 것은 꿈의 공유 여부입니다.

프롤로그에서도 말했지만, 애초에 동료를 모으는 데에 있어서 꿈을 공유하는 것이 가장 큰 전제입니다.

반복하지만, 이 책에서는 동료를 '혼자서는 이룰 수 없는 꿈을 공유하는 사람'으로 정의하겠습니다.

꿈을 공유할 수 없는 사람은 친구가 될 수는 있지만 동료는 결코 될 수 없습니다..

동료라는 존재에서 꿈의 공유는 절대 조건입니다.

그렇다고 해서 모두가 같은 꿈을 꾸지는 않습니다. 바로 이 점이 상당히 흥미롭습니다.

루피의 꿈은 "해적왕이 되는 것"입니다.
그렇다면 다른 밀짚모자 해적단 일원들의 꿈은 무엇일까요?

조로의 꿈
세계 제일의 검객이 되는 것

나미의 꿈
전 세계를 항해하면서 온 세상의 해도를 그리는 것

우솝의 꿈
용감한 바다의 전사가 되는 것

상디의 꿈
전설의 바다 올블루에 가는 것

쵸파의 꿈

모든 병을 고칠 수 있는 의사가 되는 것

로빈의 꿈

진짜 역사의 본문리오 포네그리프을 해독하는것, 공백의 100년
진상을 규명하는 것

프랑키의 꿈

스승을 뛰어넘는 배를 만들어 세계의 끝까지 가는 것

브룩의 꿈

위대한 항로그랜드 라인를 일주하여 고래 라분과 다시 만나는 것

　모두 자신의 꿈을 확실히 갖고 있습니다. 또한 그 누구
의 꿈도 혼자서는 이룰 수 없습니다. 각자의 꿈을 총괄하는
꿈이 루피의 '해적왕이 되겠다.'는 꿈인 것입니다.
　즉 루피의 '해적왕이 되겠다'는 꿈을 공유한다면 언젠가
는 동료 각자의 꿈은 이루어 진다는 사실입니다. 루피와 함

께 행동하면 자신의 꿈도 이룰 수 있다는 믿음이 있기 때문에 기꺼이 동료가 됩니다.

루피 역시 마찬가지입니다. 검객, 항해사, 저격수, 요리사, 선의… 그들이 있어야만 비로서 해적왕을 꿈꿀 수 있습니다.

자신의 꿈을 이루기 위해 동료의 존재는 불가피합니다.

하나하나의 각기 다른 꿈은 모두가 함께여야만 실현시킬 수 있습니다.

바로 이 점이 꿈을 공유하는 본질입니다.

자신의 꿈이나 목표가 명확해지면
먼저 깃발부터 올려야 합니다.
그래야 같은 꿈이나 목표를 지닌 사람과 만날 수 있습니다.

밀짚모자 해적단의 집단지성 동료효과

직접 깃발을 올리면
동료를 찾을 수 있다

루피는 '해적왕이 되겠다.'고 선언하고 이스트 블루에 위치한 고향 마을을 떠났습니다. 때로는 비웃음당할 때도 있지만 루피의 꿈은 절대 흔들리는 법이 없었습니다.

루피는 누가 무슨 소리를 하든 흔들리지 않고, 아무리 비웃음을 당해도 꿈을 이야기하는 데에 부끄럼이 없습니다.

이런 그에게서 우리는 3가지를 배울 수 있습니다.

첫 번째는 직접 깃발을 올릴 것.

애초에 직접 깃발을 올리지 않으면 동료를 찾을 수 없습니다. 누군가의 배에 그냥 올라탈 수도 있겠지만, 루피처럼 살고 싶다면 직접 깃발을 올리는 것이 중요합니다.

자신의 꿈이나 목표가 명확해지면 일단은 깃발부터 올려야 합니다. 그러면 같은 꿈이나 목표를 지닌 사람과 만날 수 있습니다.

본인의 마음속에 꿈을 그렸다면 먼저 입 밖에 내서 다른 사람에게 전합니다. 그러면 생각지도 못한 사람을 동료로 맞이할 가능성도 생깁니다. 무엇보다도 깃발을 올리는 것이 첫걸음입니다.

두 번째는 이해하기 쉬운 깃발을 올릴 것. 혹은 큰 깃발을 올리는 일입니다.

사람은 이해하기 쉬운 꿈을 보고 모여듭니다. 다른 사람과 공유하면서 함께 이루어야 할 꿈이기에 가능한 크고 이해하기 쉬운 꿈이어야 합니다.

루피의 꿈은 정말 이해하기 쉽습니다. 해적왕은 지나치게 큰 꿈일지도 모르지만, '멍청한 녀석'이라고 불리거나

밀짚모자 해적단의 집단지성 동료효과

'재미있는 녀석'이라고 불리거나 결국은 둘 중 하나입니다. 큰 꿈일수록 동료의 힘이 필요합니다.

'멍청한 녀석'이라고 여기는 사람은 동료로 삼지 않으면 그만입니다. '재미있는 녀석'이라고 생각해주는 사람과 큰 꿈을 향해 함께 가면 됩니다.

세 번째는 한 번 올린 깃발은 절대로 내리지 말 것.

원피스의 해적들에게 해적기란 자긍심 그 자체입니다. 해적기를 내리는 것보다 더 굴욕적인 일은 없습니다. 이는 마치 꿈을 포기하는 것과 같습니다.

한 번쯤은 패배하더라도 깃발이 펄럭이는 한 또다시 동료들과 체제를 정비하면서 앞으로 나아갈 수 있습니다. 깃발은 꿈이 계속된다는 상징이기 때문입니다.

그 어떤 어려움에 마주한들 꿈을 향해 끊임없이 노력하는 한, 사람은 모이게 마련입니다. 전력투구하는 사람을 보면 자신도 모르게 힘을 보태주고 싶습니다. 돛대에서 펄럭이는 깃발은 동료를 끊임없이 불러 모읍니다.

남을 소중히 여기는 마음이 전제되어야 합니다.
개성이나 능력도 중요하지만 루피는 인간의 본성이
'좋은놈'이 아니라면 동료가 될 수 없습니다.

밀짚모자 해적단의 집단지성 동료효과

루피가 말하는
좋은 녀석이란

그런데, 동료를 고르는 기준은 무엇일까요?

'꿈을 공유하는 사람'이라는 조건 이외에도 중요한 기준이 있습니다.

그것은 남을 소중 여기는 마음입니다.

남을 배려할 수 있는 사람은 결코 동료를 배신하지 않습니다.

특히 루피는 남을 소중히 여기는 사람을 곧잘 동료로 불러 들이곤 합니다.

예를 들면 조로가 그렇습니다.

롤로노아 조로는 '해적 사냥꾼 조'로 불리는 그야말로 두려움의 대상이기도 하지만, 꼬마 여자 아이를 구하기 위해 늑대를 죽이기도 했습니다.

늑대를 죽였다는 죄목으로 형장에 묶여 있던 그에게 도움을 받은 꼬마가 주먹밥을 가져오지만, 해군 대령의 아들이 나타나 주먹밥을 짓밟고 여자 아이를 담장 밖으로 내던져 버립니다.

루피에게 주먹밥을 주워달라고 부탁하여 진흙 덩어리인 주먹밥을 다 먹고 난 조로는 루피에게 말합니다.

"커억… 그… 꼬마한테 좀 전해주라……!
'맛있었다' 정말 '잘 먹었다.'…고 말이다."

1권 3화 《'해적 사냥꾼 조로' 등장》

루피는 이 때 조로를 동료로 삼겠다고 확실히 결심합니다.

이 밖에도 상디가 아사 직전이던 클리크 해적단의 깅에

게 밥을 가져다준다거나, 쵸파가 눈새스노우 버드의 새끼를 지킨다거나, 블룩이 라분고래를 소중히 생각하는 것도 마찬가지입니다.

자신보다 약한 자를 보호하는 모습을 본 루피는 그를 '좋은 녀석이다.'라고 생각합니다.

본인에게 부족한 점을 채울 수 있는가가 동료의 판단 기준이기는 하지만, '좋은 녀석'이 아니라면 동료가 될 수 없습니다.

최종적으로는 동료 후보와 그 주변인의 관계를 살피고 난 뒤에 동료 여부를 결정합니다. 개성이나 능력도 중요하지만 루피가 중요하게 생각하는 인간으로서의 본성은 타인과의 관계성에서 드러나기 때문입니다.

오랫동안 이어갈 수 있는 동료나 친구는
어떤 사람일까요?
루피가 그랬듯이 누군가를 소중히 여기고
당신이 어려움에 처했거나 괴로워 할 때
도와주는 사람이 진실한 동료로 발전합니다.

밀짚모자 해적단의 집단지성 동료효과

오래가는
동료 고르기

    여러분은 지금까지 친구라고 부를만한 사람을 어떻게 선별했나요?

    '함께 있으면 자랑할 수 있어서', '아버지가 유명해서' 등 이해득실을 따져 친구를 고른 적도 있을 것입니다. 초창기의 나미처럼 서로의 이해관계가 일치했기 때문에 '손을 잡은 경우'도 있을 수 있습니다. 이것은 어른들의 선택법입니다.

    그러나 대개는 '그냥 코드가 통해서', '회사 같은 부서라서', '취미가 같아서', '같이 있으면 재미있어서' 같은 경우가 많습니다.

이중에서도 관계를 오랫동안 이어갈 수 있는 동료나 친구는 어떤 사람일까요?

아마도 당신이 어려움에 처했다거나 괴로워하고 있을 때 도와주는 사람은 아닐까요? 곁에서 위로의 말을 건네준 사람은 아닐까요? 다시 일어서기 위한 용기와 힘을 보내준 사람이 아닐까요?

어려운 시기를 함께 이겨냈기 때문이야말로 지인은 친구로, 동료는 한층 진실한 동료로 관계가 발전합니다.

그렇다면 '오래갈 것 같은 동료'는 어떻게 찾으면 될까요?

루피가 그러했듯이, 그 사람이 누군가를 소중히 여기고 있는지, 소중히 여긴 적이 있는지를 살펴보면 됩니다.

'부모를 소중히 여긴다', '친구를 소중히 여긴다', '후배를 소중히 여긴다', '이해 관계를 따지지 않고 고객을 소중히 여긴다', '연인을 소중히 여긴다' 등이 동료로서 오래갈 수 있는지를 판가름할 수 있는 판단 요소입니다.

상대방이 어떤 사람인지를 판단하는 요소는
외모나 직함이 아닙니다.
편견을 갖지 않고 처음부터 열린 마음으로
다름이나 개성을 재미있게 바라보고 평가하면 됩니다.

루피는 상대의 외모에
전혀 편견을 갖지 않는다

루피처럼 편견이 전혀 없는 사람도 참 드물 것입니다.

원피스 세계에서는 우리의 실제 생활에서는 상상조차
할 수 없는 외모를 가진 인물이 등장합니다.

해골 모습을 한 브룩은 참 이상야릇합니다. 해골 주제에
아프로펌을 하고 있고……

하지만 루피는 참으로 시원하게 "그보다 너, 내 동료로
들어와라!!!"_{46권 442화 《마의 바다 모험》}라고 말합니다. 브룩도 단칼
에 '예에, 그렇게 하죠."라고 말합니다. 정말로 시원시원합

니다.

다른 동료들은 처음에 브룩에 대한 편견이 있었습니다.

쵸파는 "해골이다. 아아아!!!"라고 소리를 지르고, 우솝은 "악령아, 물렀거라! 악령아, 물렀거라!!"라며 무서워합니다.

정체를 알 수 없는 상대에 대해 모두가 경계했습니다.

차차 브룩이 어떤 인물인지 알게 되면서 환영하였지만, 처음에는 루피를 제외한 모두가 그의 외모에 상당히 당황해했습니다.

사실 쵸파 역시 신기한 외모를 하고 있습니다.

사슴인 쵸파는 태어날 때부터 코가 파란색이었다는 이유로 부모로부터 버림 받았습니다. 게다가 악마의 열매 '사람사람 열매'를 먹으면서 사람의 모습으로 변신하여 인간의 언어도 말할 수 있게 되면서 모두에게서 괴물 취급을 받습니다.

하지만 루피는 오히려 재미있어 합니다.

"좋은 녀석이다!!! 재미있는데!!! 상디!! 저 녀석 동료로 삼자!!!!"

16권 140화 《눈이 사는 성》

오늘날 쵸파는 많은 독자의 인기를 얻었습니다. 등장인물의 인기투표에서도 당당히 4위에 이름을 올렸습니다24권, 43권, 55권.

루피는 편견이 전혀 없습니다.

도리나 브로기 같은 거인족에게도, 물고기 모습을 한 어인에게도, 보물상자와 한 몸이 된 사람에게도 전혀 편견을 갖지 않습니다. 루피에게는 평범하지 않은 것이 재미있는 일입니다. 모두가 개성이고 매력으로 비칠 뿐입니다.

외모뿐 아니라 직책에 대해서도 마찬가지 입니다. 상대가 해군 대장이든 사황이라고 불리는 해적 선장이든 항상 같은 태도로 상대합니다.

우리 사회에서는 '첫인상이 중요하다.'고 하는 것에서도 알 수 있듯이 대부분의 사람들이 첫인상으로 그 사람이 어떤 사람인지를 결정해버립니다. 또한 사장이나 부장과 같은 직함으로 자기도 모르게 상대에 따라 태도를 달리하는 사람도 있습니다.

그러나 외모나 직함에 대한 선입견은 서로가 신뢰하기 위해 오히려 장애가 되는 경우가 많습니다.

상대방이 어떤 사람인지를 판단하는 요소는 외모나 직함이 아닙니다.

편견 없이 처음부터 열린 마음으로 대하기, 형식적인 것들에 집착하지 말고 다른 점이나 개성을 흥미롭게 바라보며 평가하기. 바로 이런 점들이 사람들과의 신뢰를 쌓는 지름길이라는 점을 루피가 우리에게 알려줍니다.

먼저 상대편에게 적대적인 태도를 취하면
절대로 동료를 만들 수 없습니다.
처음 만나는 사람은 누구라도 동료가 될 가능성이 있습니다.
어떤 상대라도 처음에는 열린 마음으로 대하는 것이
중요합니다.

밀짚모자 해적단의 집단지성 동료효과

샹크스가 알려준
최고의 전략

루피는 본인이 먼저 싸움을 거는 일이 없습니다.

이것은 존경하는 빨간 머리 샹크스의 가르침이기도 합니다.

루피가 아직 어렸을 때, 산적이 샹크스의 머리에 술을 부었습니다. 루피는 화를 내지만 샹크스는 "그냥 술만 뒤집어쓴 거뿐인걸. 화낼 만한 일도 아니잖아?"라며 가볍게 흘러 넘깁니다.

그러나 이후 산적이 루피를 죽이려고 할 때 다음과 같이 말하며 산적을 무찌릅니다.

"잘들 들어 산적… 내 머리에 술이나 음식을 뒤집어씌우든 침을 뱉든 난 웬만한 일은 웃으며 눈감아 준다. 하지만!! 어떤 이유가 있더라도……!! 내 친구를 괴롭히는 녀석은 용서 않는다!!!!"

1권 1화《ROMANCE DAWN-동터 오는 모험시대-》

이 장면에서 루피는 샹크스라는 해적의 강한 면모를 봅니다.

샹크스는 루피가 동경하는 해적입니다. 그래서 샹크스의 가르침에 따라 루피가 먼저 싸움을 걸지는 않습니다.

이는 게임 이론에서 말하는 가장 현실적인 '최강 전략'입니다.

게임 이론은 상호작용을 미치는 다수의 행동에 대해 연구하는 수학 분야 중 하나입니다. 간단하게 말하면 게임에 이기기 위한 방법을 연구하는 이론입니다.

이 게임 이론의 '최강 전략'에서는 먼저 상대를 믿는 것

밀짚모자 해적단의 집단지성 동료효과

이 중요합니다. 그리고 상대가 꼼수를 부리면 반드시 되받아 칩니다. 우습게보지 않도록, 두 번 다시 꼼수를 부리지 않도록 철저히 상대방을 공격합니다. 하지만 상대가 공격하지 않는 한 절대로 자신이 먼저 공격하는 일은 없습니다.

이 전략을 루피가 알고 있었는지는 차치하고 감으로는 파악하고 있었습니다. 그러니까 자신이 먼저 싸움을 걸지도 않았고, 어떤 상대라도 처음에는 열린 마음으로 대할 수 있었습니다.

처음 만나는 사람은 누구라도 동료가 될 가능성이 있습니다. 마지막에는 적이 될 수도 있겠지만 처음에는 우연한 인연을 소중히 여겨야 합니다. 처음부터 적이라고 생각하고 경계심을 품으면 동료가 될 수 없습니다. 처음부터 적대적인 태도를 취하는 것은 동료를 만드는데 전혀 도움이 되지 않습니다.

인간관계에서 신뢰를 얻기 위해서는 오랜 시간이
걸리지만, 신뢰가 무너지는 것은 한순간입니다.
과거에 적대적이었던 인물이라도 같은 목적을 위해서라면
적군이냐 아군이냐 하는 꼬리표를 필요 이상으로
오랫동안 붙여 놓지 않는 편이 좋습니다.

밀짚모자 해적단의 집단지성 동료효과

오랜 적을
내 편으로 만드는 방법

고민의 대부분은 인간관계에서 시작합니다.

돈과 건강에 대한 고민을 제외한다면 대개가 인간관계에 대한 고민입니다.

업무를 제대로 수행하지 못하는 것도 윗사람이나 동료와의 인간관계에 문제가 있기 때문은 아닐까요? 거래처와의 인간관계에 문제가 있는 사람도 많습니다.

연애나 결혼 역시 인간관계의 일종입니다.

인간관계에서 신뢰를 얻기 위해서는 오랜 시간이 걸리

지만, 신뢰가 무너지는 것은 한 순간입니다. 단 한 번의 배신으로도 사람 사이의 관계는 쉽게 무너져 버립니다.

그렇다면 한 번 무너진 인간관계는 회복할 수 없을까요?

원피스에서는 과거 적이었던 인물이 나중에는 동료가 되는 경우가 종종 있습니다. 알라바스타 왕국을 손에 넣으려던 서Sir크로커다일전 칠무해도 그중 하나입니다. 루피는 의형제 에이스를 구하기 위해 뛰어든 해저 대감옥 임펠다운에서 크로커다일과 다시 만납니다.

루피는 과거에 크로커다일에게 죽을 뻔한 적도 있습니다. 한때 동료였던 왕녀 비비의 알라바스타 왕국을 엉망으로 만든 인물이기에 절대로 용서할 수 없는 적이기도 합니다. 그런 크로커다일이 임펠다운에 잡혀 있었습니다.

에이스를 구하기 위해 임펠다운에 들어간 루피지만 에이스는 이미 처형대가 있는 해군본부 '마린포드'로 연행된 상황이었습니다.

에이스를 뒤따라야 하는 루피는 탈옥을 시도합니다. 이때 크로커다일은 "여기서 벗어나고 싶다면 날 풀어

쥐……!!" "나라면 이 천장에 구멍을 뚫을 수 있다!!!" ^{55권 540} ^{화 《LV6 무한지옥》}며 루피에게 손을 잡자고 말합니다.

루피는 내키지 않지만 에이스를 구하기 위해 손을 잡습니다. 바로 '경쟁적 공동' 상태입니다.

크로커다일의 경우 결코 예전의 악연을 모두 잊을수는 없겠지만 과거에 적대적이었던 인물이라도 같은 목적을 위해서라면 일시적으로 내 편으로 만드는 유연성은 배울만한 점입니다.

크로커다일이 이끄는 바로크 워크스의 Mr.2 봉 쿠레도 루피의 동료처럼 행동합니다. 광대 버기도 마찬가지 입니다.

조로에게 심하게 굴던 헤르메포가 나중에 당당한 해병이 되어 루피를 만나러 왔을 때, 루피는 그를 전혀 비난하지 않습니다.

과거의 일은 이미 지나간 일입니다. 중요한 것은 지금이며, 앞으로의 일입니다. 언제까지나 과거의 굴레에 갇혀 있으면서 미래의 가능성을 망가뜨릴 필요는 없습니다.

사람에게는 적군이냐 아군이냐 하는 꼬리표를 필요 이

상으로 오래 붙이지 않는 편이 좋습니다. 같은 장소에 있는 사람을 아군으로 만드는 것도 동료 효과에 바람직합니다.

한 사람을 계속 적군으로 생각하면 이것만으로도 인생에 제약이 생깁니다. 흑백으로 나누어서만 생각한다면 관계는 고정될 뿐입니다.

눈앞에 있는 사람과의 관계 가능성을 최대한 이끌어 내는 것 역시 루피가 동료를 만드는 비결 중 하나입니다.

밑짚모자 해적단의 집단지성 동료효과

적대감이 있는 상대방과 일대일로 화해할 수 없다면,
양쪽을 모두 잘 아는 제3자의 중재를 통해서
동료가 될 가능성이 생깁니다.

나미와 핫짱과
타코야키

그렇다고 해서 오랜 시간 으르렁거리던 상대와 갑자기 친해질 수 없다는 것은 너무나도 잘 알고 있습니다.

이런 경우는 제3자를 통해서 해결하면 좋습니다.

나미가 어인 아론 일당에게 험한 대접을 받았다는 것은 앞서 소개했습니다. 아론 일당 간부 중에 '핫짱^{통칭 하찌}'이라는 문어 어인이 있습니다.

나미에게 있어 아론 일당은 절대로 용서할 수 없는 존재입니다. 소중한 양어머니 벨메일을 죽였기에 이는 당연합니다.

그런 아론 일당의 간부인 핫짱이 나중에 다시 한번 등장합니다.

위대한 항로그랜드 라인의 명소인 어인섬에 가는 방법을 찾고 있던 루피 일행은 거대한 해수 바다토끼에게 잡아먹힐뻔한 인어 케이미를 구해줍니다.

밀짚모자 해적단과 케이미는 금새 친해집니다. 그러나 당황스럽게도 케이미의 친구가 핫짱이었습니다.

이후 인신매매단에게 잡힌 핫짱을 구출하는 장면이 나오는데, 나미는 동료와 함께 핫짱을 구하고자 결심합니다.

오랫동안 아론 일당을 증오하던 나미지만, 케이미라는 제3자가 등장하면서 적대감이 약해졌습니다.

구출받은 핫짱이 만들어준 타코야끼를 먹은 나미는 "엄~청 맛있어!!"라고 말합니다. 완전히 용서하기는 어렵지만 웃는 얼굴을 보일 정도로 적대감이 줄었다고 할 수 있습니다.

일대일로는 화해할 수 없을지라도, 양쪽을 모두 잘 아는 제3자가 중개한다면 동료가 될 가능성이 생깁니다. 주위 사람을 잘 이용하면 관계 개선의 여지가 있습니다. 주변 상황에 따라 관계는 변합니다.

내가 소중히 여기는 사람이 나의 적이었던 사람을 소중히 여긴다면, 그와 함께할 수 밖에 없습니다. 상대편의 마음도 바뀔 것입니다. 상대편에게도 당신은 '소중한 사람의 소중한 사람'이 되기 때문입니다. 사람은 다른 사람의 관계에 파묻히면서 변화하게 마련입니다. 사회학자들은 이를 '배태성embeddedness'이라고 부릅니다.

본인이 소중히 여기는 동료와 함께 하기 위해서라면 예전의 적과 화해하거나 그를 용서하는 힘도 생깁니다.

이것 역시 동료를 만들기 위한 핵심입니다.

루피는 가끔 정말로 강한 메시지를 보내는
행동을 하곤 합니다.
루피가 대장으로 보여주는 멋진 퍼포먼스입니다.
상황이 어려울수록 루피는 동료를 지키고자 하는
각오를 분명하게 보여줍니다.

세계정부의 깃발을
쏠 때의 각오

루피는 어떠한 어려움이 닥쳐도, 적이 아무리 강해도, 무슨 일이 있어도 동료를 지키려 합니다. 상황이 어려우면 어려울수록 루피는 동료를 지키고자 하는 각오를 분명히 보여줍니다.

루피는 동료들과 함께 절대 권력을 지닌 세계정부에 붙잡힌 로빈을 구하러 갑니다. 이때 루피는 저격수 우솝^{당시에} ^{는 가면을 쓴 저격왕 《SOGEKING》였지만······}에게 세계정부의 깃발을 쏴버리라고 명령합니다.

어떤 싸움이 기다리고 있더라도 로빈을 반드시 되찾겠다는 자기 자신과 동료를 향해, 강한 적군을 향해, 그리고 전 세계를 향해 자신의 각오를 보여주기 위한 퍼포먼스입니다. 루피는 가끔 정말로 강한 메시지를 보냅니다. 루피가 대장으로서의 역할을 훌륭하게 수행하는 것입니다. 주위에서 기대하는 자신의 역할을 눈에 보이는 분명한 형태로 표현합니다.

아론 일당 앞에 지쳐 쓰러져 도움을 요청한 나미에게 자신의 보물인 밀짚모자를 씌워 줌으로서 루피는 확실한 각오를 보여주었습니다. 매우 다정하면서도 동시에 강력한 행동입니다. 자기희생과 상부상조의 정신은 고귀하지만 마음은 다른 사람 눈에 보이지 않습니다. 때로는 퍼포먼스로써 행동으로 보여줍시다.

동료를 지키겠다는 각오를 보임으로써 힘을 얻는 것은 비단 동료뿐만이 아닙니다. 사실 자기 자신에게 힘을 불어넣는 데에도 도움이 됩니다. 내 꿈을 이해해주는 동료들을 어렵사리 모았으니, 자신의 힘과 동료의 힘을 최대한으로 끌어내어 시너지 효과를 얻으면 어떨까요. 다음 장에서는 동료와 '서로 돕는 방법'에 대해 살펴보겠습니다.

| PART 2 | 동료를 모으는 방법

· 나에게 없는 능력을 가진 사람을 동료로 삼는다.

· 꿈을 공유할 수 있는 사람을 동료로 삼는다.

· 꿈을 갖고 직접 깃발을 올린다.

· 다른 사람을 소중히 여기는 사람을 동료로 삼는다.

· 이해득실을 따져 동료를 고르지 않는다.

· 외모나 직함에 편견을 갖지 않는다.

· 상대에게 주눅들지 않는다.

· 우연히 만난 인연을 소중히 여긴다.

· 먼저 싸움을 걸지 않는다.

· 과거의 인연에 연연해하지 않는다.

· 지금 내 앞에 있는 사람을 소중히 여긴다.

· 제3자를 통해 화해한다.

루피 난 지금 함께 해적이 될 동료를 찾고 있는 중이야.

조로 해적이라고?

흥! 스스로 악당으로 전락하겠다는 거냐.

잘해보셔.

루피 내 의지야! 해적이 되고 싶다는 게 뭐가 나빠!

1권 3화 《해적 사냥꾼 조로' 등장!》

PART 3

동료와 서로 돕는
방법

– 원피스식 '수평적 관계'란 –

혼자서는 할 수 없는 일을
동료와 협력하여 완수하면 기분이 배가 됩니다.
큰 꿈이나 목적일수록 동료의 협력이 더 많이 필요합니다.

코카콜라 2캔과
타도 크로커다일

한때 코카콜라 광고가 유튜브에서 화제가 되었습니다.

"The Coca Cola Friendship Machine."이라는 제목의 이 광고에 등장한 코카 콜라 자동판매기는 일반 자동판매기의 2배 이상 되는 높이였습니다.

혼자서는 돈을 넣는 투입구에 절대로 손이 닿지 않습니다. 누군가와 협력해야만 합니다. 목마를 타거나 기마전 자세처럼 여러 명이 한 명을 들어 올려서 콜라를 구매합니다. 어렵사리 버튼을 누르기만 하면, 1캔 가격에 2캔의 콜라가 나옵니다. 협력한 사람들의 미소는 매우 기분 좋은 느낌을 주었습니다.

이것이야말로 팀워크의 전형적인 예입니다. 동료와 협력하여 기쁨을 나누는 것의 소중함에 대해 이 광고가 알려줍니다.

혼자서는 할 수 없는 일을 동료와 협력하여 해내는 것. 이 광고에서는 단순히 콜라를 사는 것이 목적이었는데, 큰 꿈이나 목적일수록 동료의 협력이 더 많이 필요합니다.

사실 이 코카콜라 광고와 비슷한 장면이 원피스에도 등장합니다.

알라바스타 편 장면입니다.

위대한 항로그랜드 라인에서의 항해 도중에, 처음에는 적으로 만나고 나중에는 중요한 동료가 된 비비. 그녀는 알라바스타 왕국의 왕녀입니다.

알라바스타 왕국에서는 큰 일이 벌어지고 있었습니다. 칠무해의 한 명인 크로커다일의 '알라바스타 강탈 작전'으로 내전이 일어난 것입니다.

밀짚모자 해적단의 집단지성 동료효과

국왕에게 불신감이 가득 찬 반란군과 국왕군과의 충돌은 이미 피할 수 없는 상태였습니다. 이런 상황에 이른 원인을 찾기 위해 비비는 크로커다일이 이끄는 비밀범죄회사 바로크 워크스에 잠입한 상태였습니다.

자초지종을 안 루피는 크로커다일을 무너뜨리기 위해 비비와 함께 알라바스타 왕국으로 향합니다.

최종 전투 장소인 수도 아르바나에 도착해보니 크로커다일은 궁전 광장에 포격을 가하여 아르바나를 멸망시키려던 중이었습니다.

포격 예고 시간은 오후 4시 30분. 그때까지 포격수를 찾아 궁전 광장의 폭파를 막지 않으면 아르바나와 100만명의 국민은 멸망하게 됩니다.

동료들이 총출동하여 서로 흩어져 찾아 헤매다가, 어렵사리 포격수가 시계탑 위에 있다는 사실을 안 시간이 4시 29분. 이제 1분밖에 남지 않았습니다. 계단으로 시계탑까지 올라갈 여유가 없습니다.

이 때 나미에게 '좋은 생각'이 떠오릅니다.

멋진 팀워크는 절체절명의 위기에 더욱 빛을 발휘합니다.
같은 시간, 같은 공간에 없어도 팀워크는 가능합니다.
동료는 동료의 존재만으로도 큰 힘이 됩니다.
이런 이유로 우리는 동료를 만들고 함께 싸우고
높은 목표나 꿈을 지향합니다.

밀짚모자 해적단의 집단지성 동료효과

알라바스타에서의
멋진 팀워크

우선 나미가 '사이크론=템포'라는 기술을 써서 우솝을 공중으로 올립니다. 그 다음 우솝의 등에 타고 있던 쵸파가 상디가 있는 시계탑 중간까지 점프를 합니다.

쵸파의 등에는 비비가 타있습니다. 상디는 오른발을 높이 차서 더 높은 상공으로 쵸파와 비비를 날립니다. 또 다시 위에 있던 조로가 검을 사용하여 쵸파와 비비를 시계탑 높이까지 올려줍니다.

마지막으로 쵸파가 비비를 던져서 시계탑 안으로 보냅

니다. 그리고 비비는 포격수를 쓰러뜨리고 포격을 저지합
니다.

참으로 멋진 팀워크입니다. 절체절명의 위기 상황을 모
두의 힘으로 저지한 것입니다.

그러나 이 포탄에는 이중 장치가 되어 있었습니다. 포격
수에게 문제가 생길 경우를 대비하여 자동으로 폭발하는 시
한 폭탄으로 만들어놓은 것입니다.

이때 등장한 이가 알라바스타 왕국의 호위대 부관이자
악마의 열매인 '새새 열매'를 먹어 비행 능력을 갖게 된 페
루였습니다. 페루는 포탄을 들고 하늘 높이 날아올라 자신
의 목숨을 버리고 알라바스타 왕국을 구합니다. 페루 역시
포용력 있는 어른으로, 제가 매우 좋아하는 등장인물 중 하
나입니다.

마지막에 포탄을 처리한 인물은 페루였지만, 밀짚모자
해적단이 끝까지 포기하지 않았기 때문에 한 가닥의 희망을
잃지 않았던 것입니다.

루피는 이 멋진 순간에 동료와 함께하지 못했습니다. 그

는 크로커다일의 발을 묶어두기 위해 다른 곳에서 싸우고 있었습니다.

루피 "비비는…. 그 녀석은 남보고는 죽지 말라면서… 자기는 제일 먼저 목숨을 바쳐 남을 구하려고 들지…. 그러니까 내버려두면 죽어. 니들 손에 죽는다고!!"

크로커다일 "멍청한 녀석이군…. 그러니까 그 성가신 녀석을 버리면 끝이라고…."

루피 "죽게 내버려 둘 수 없으니까 '동료'인 거잖아!!! 그러니까 녀석이 나라를 포기하지 않는 한 우리도 싸움을 그만두지 않을거야!!!"

23권 206화 《점화》

루피는 동료 비비를 위해 싸우고 있었습니다. 여러 번 죽을 뻔했지만 비비가 있었기 때문에 크로커다일이라는 거대한 적과 계속 맞설 수 있었습니다.

혼자서는 도저히 무찌르지 못할 것 같은 적이더라도 동료가 도와준다면 싸울 수 있습니다. 같은 공간에 있지 않아도 상관없습니다. 동료의 존재만으로도 큰 힘이 됩니다.

같은 시간, 같은 장소에 있지 않아도 팀워크는 가능합니다. 이런 이유로 우리는 동료를 만들고 함께 싸우며 높은 목표나 꿈을 지향합니다. 그러기 위해서라도 서로 도울 수 있는 관계를 구축하는 것이 중요합니다.

밀짚모자 해적단의 집단지성 동료효과

자신의 나약함을 보임으로써
동료와의 거리가 더욱 가까워집니다.
동료에게 인정 받고 싶다면
자신부터 동료를 인정해야합니다.
밀짚모자 해적단의 강한 힘은 자신과 동료 모두의
나약함을 이해하는 데에서 출발합니다.

난 도움받지 않으면
살아갈 수 없어

동료와 서로 돕기 위해서는 무엇이 필요할까요?

그것은, 루피는 할 수 있지만 대부분의 사람에게는 너무 어려울지도 모르겠습니다.

바로 자신의 나약함을 보여주는 것입니다.

자존심이 세면 셀수록 본인이 할 수 있는 일이나 본인의 장점을 어필하고 싶어 합니다.

한편 다른 사람에게 자신의 나약함을 보여주는 것은 용

밀짚모자 해적단의 집단지성 동료효과

기가 필요한 일입니다. 대부분의 사람은 자신의 약점을 숨기는 데 급급합니다.

나약함을 드러내면 '자신의 존재를 부정하지는 않을까', '관계가 무너지지 않을까'와 같은 불안감이나 공포심이 들기 때문입니다.

그렇기 때문에 조금이라도 더 본인을 잘 드러내고 싶어합니다. 이는 인간의 본능일지도 모릅니다.

그러나 이런 식으로는 동료와 서로 돕는 관계를 구축하기 어렵습니다. 루피의 다음 대사는 바로 이 점을 극단적으로 보여줍니다.

아론 "멍청하고 무력하고 어리석은 종속이 인간이다!!! 바다에 들어가도 혼자서는 나오지 못하는 네 놈이 할 수 있는 게 뭐냐!!!"

루피 "아무것도 못하니까 도움 받는 거지!!! 그래, 난 검술도 할 줄 모른다, 이놈아!!! 항해술도 없고!!! 요리도 못하고!! 거짓말도 못해!! 난 도움받지 않으면 살아갈 수 없어!!!"

아론 "자긍심도 뭣도 없는 녀석이 선장이 될 그릇이라

할 수 있겠냐!!? 네가 할 수 있는 게 대체 뭐냐!!!"

루피 "너한테 이기는 거."

10권 90화 《무엇을 할 수 있나?》

참으로 명대사가 아닐 수 없습니다.

이 대사에는 두 가지 의미가 있습니다.

하나는 루피 본인이 '자신의 나약함을 솔직하게 인정하는 힘'을 보여준 것입니다. 그렇기 때문에 그는 동료의 능력을 순수하게 우러러볼 수 있습니다.

그리고 또 하나는 이 말을 들은 동료에게서 솟아오르는 힘입니다.

루피에게 이런 말을 들은 동료는 어떤 기분일까요?

아마도 "내가 없다면……" "내가 도와주지 않으면……" 이라고 생각하게 될 것입니다. 루피를 향한 신뢰도는 더욱 높아지고 동료라는 자각도 깊어집니다.

자신의 나약함을 보임으로써 동료와의 거리가 더욱 더 가까워집니다.

더욱 중요한 것은 마지막 "너한테 이기는 거."라는 대사입니다.

이것은 혼자서 이길 수 있다는 의미가 아닙니다. 동료가 있으면 이길 수 있다는 뜻입니다.

루피는 전투력이 높기 때문에 혼자서라도 아론에게 이길 자신은 있을테지요. 그러나 동료와 함께라면, 동료를 위해서라면, 절대로 질 수 없다는 의지를 표현한 것입니다.

실제로 이어지는 싸움에서 동료의 도움을 받아 루피가 아론을 쓰러뜨립니다. 나약함을 보인 사람은 주위에서 온 힘을 다해 도와줍니다. 사람은 다른 사람을 돕기 위해 그 사람을 이해하는 것입니다.

다만 일방적으로 나약함을 보여주기만 해서는 안 됩니다. 당신 역시 나약함을 보인 사람을 온 힘을 다해 도와주어야 신뢰 관계를 형성할 수 있습니다.

동료에게 인정받고 싶다면 자신도 동료를 인정해야 합니다. 밀짚모자 해적단의 강한 힘은 자신과 동료 모두의 나약함을 이해하는 것에서 시작합니다.

팀플레이의 경우는 자신의 단점을 속속들이 드러내고
장점을 키우는 것이 중요합니다.
동료의 약점이나 단점을 동료가 서로 보완하며
균형 잡힌 관계를 만드는 것이 중요합니다.

루피의 약점을 보완하는 것은
우솝의 신중함

자신의 단점을 숨기고 장점을 키우라는 말을 우리는 자
주 듣습니다. 이는 개인플레이의 경우에는 맞는 말이라고
생각합니다.

하지만 서로 도와야 하는 팀플레이에서는 단점을 숨길
필요가 없습니다. 오히려 할 수 없는 것을 할 수 없다고 말
하지 않으면 동료가 도와줄 수 없습니다. 서로의 약점이나
단점을 알기 때문에 함께 도울 수 있습니다.

팀플레이의 경우 '자신의 단점을 속속들이 드러내고 장

점을 키우는 것'이 중요합니다.

바로 이것이 균형 잡힌 팀을 형성하는 비결입니다.

제가 생각하는 균형 잡힌 관계란, 각자의 약점과 단점을
다른 동료의 강점과 장점이 서로 보완하는 관계입니다.

밀짚모자 해적단은 균형이 매우 잘 잡혀 있습니다.

이들의 장점과 단점을 함께 살펴 봅시다.

루피

장점 : 전투력이 높다, 행동력이 있다, 긍정적이다.

단점 : 무모하다.

조로

장점 : 전투력이 높다, 책임감이 있다.

단점 : 방향치이다.

나미

장점 : 항해술이 뛰어나다, 사려 깊다, 건강미가 넘치고 밝다.

단점 : 돈에 약하다.

우솝

장점 : 끈기 있다, 신중하다.

단점 : 자신감이 없다, 부정적이다.

상디

장점 : 요리를 잘한다, 의리 있다.

단점 : 여자에 약하다.

쵸파

장점 : 의학에 능하다, 근면성실하다.

단점 : 외모에 대한 콤플렉스가 있다, 겁이 많다.

로빈

장점 : 두뇌가 명석하다.

단점 : 사람을 못 믿는다.

프랑키

장점 : 기계를 잘 다룬다, 보스 기질이 있다.

단점 : 변태

브룩

장점 : 음악에 능통하다, 유머가 있다, 의리 있다.

단점 : 버릇없다, 성희롱 발언을 한다.

이렇게 정리해 놓고 보면 동료 중 누군가가 각기 다른 인물의 단점을 커버한다는 사실을 알 수 있습니다.

루피의 단점인 '무모하다'는 나미의 '사려 깊다', 우솝의 '신중하다', 로빈의 '두뇌가 명석하다'가 보완합니다.

조로의 '방향치이다' 역시 나미의 항해술이 보완하고, 우솝의 '자신감이 없다', '부정적이다'는 루피와 조로가 보완합니다.

나미의 '돈에 약하다'는 다른 동료가 돈에 관심이 없기 때문에 균형이 잡힙니다.

상디의 '여자에 약하다' 역시 나미의 적절한 대꾸, 여자에 관심이 없는 루피와 조로로 인해 건전하게 어우러집니다.

각자의 장점이 다른 동료의 단점을 상쇄하는 조합으로

밀짚모자 해적단의 집단지성 동료효과

이루어져 있습니다.

그렇기 때문에 결코 돈을 벌기 위해 애쓰는 법도 없고, 사람을 불신하는 경우도 없습니다. 만약 모든 동료가 '돈을 밝힌다'면 돈이나 재물만을 추구하는 해적이 될 것입니다.

잘못된 방향으로 나아가지 않기 위해서라도, 모든 동료의 장점과 단점이 균형을 이루어야만 팀으로서의 활력이 생겨납니다.

가장 중요한 것은 자신의 단점을 부정하지 않는 것입니다.
동료에게 부족한 점이 있다면 당신이 그 부족함을 보완
하면 됩니다. 반대로 당신의 부족한 점은 다른 동료의
도움을 받으면 됩니다.

밀짚모자 해적단의 집단지성 동료효과

동료의 약점이나 단점을
자신의 에너지로 바꾼다

장점과 단점을 생각할 때 잊지 말아야 하는 중요한 사실
이 있습니다.

그것은 개인의 단점을 절대로 부정하지 않는 것입니다.
루피 일행을 보면 서로를 놀리기는해도 결코 서로의 인격을
부정하는 일은 결코 없습니다.

나약함을 온 몸으로 보여주는 우솝에 대해서도 모두가
동료로 인정하고 아무도 바보 취급을 하지는 않습니다. 약
점과 단점을 비판하거나 비난하는 일이 얼마나 동료를 상처

입히고 또 얼마나 비생산적인가를 루피 일행은 잘 압니다.

우리들은 무심코 타인의 결점을 발견합니다. 그러고선 '원래 그런 녀석이야.', '나는 이 사람보다는 낫다.'고 우월감에 빠지곤 합니다.

이렇게 결점을 찾을 때마다 그 사람을 싫어하거나 피하기만 해서는 동료가 생기지 않습니다. 동료에게 결점이 있다면 당신이 그것을 보완하면 됩니다. 반대로 당신의 결점은 다른 동료의 도움을 받으면 되겠지요.

동료의 결점과 단점을 인정한다.

이러한 수용력만 있다면 서로 돕는 관계를 구축할 수 있습니다.

동료의 결점과 단점을 인정하면 그것을 보완하기 위해 자신도 노력하면서 성장하게 됩니다.

크로커다일처럼 자신의 힘만 믿는 리더에게는 사람이
모이지 않습니다.
루피나 흰 수염 같은 상사를 꿈꾸십시오.
그러기 위해서라도 주위 사람의 도움을 적극적으로
요청하시기 바랍니다.

만약 크로커다일이
회사 상사라면

결점과 단점이 없는 사람은 이 세상에 존재하지 않습니다. 그래서 사람은 동료가 필요합니다.

'남에게 의지하면 안 된다.', '남에게 어리광부리면 안 된다.'고 생각하는 사람도 많습니다.

그러나 본인이 직접 할 수 없다면 의지하고 어리광부려도 괜찮습니다. 바로 이것이 동료의 존재 이유라 해도 과언이 아닙니다.

어리광을 받는 쪽도 반가워할 것입니다. 동료가 의지한

밀짚모자 해적단의 집단지성 동료효과

다는 것은 자신의 존재가 긍정적으로 받아들여지고 있다는 의미이기 때문입니다.

물론 일방적으로 의지하기만 한다면 상대가 귀찮아할지도 모릅니다. 일방적인 관계는 오래가지 않으며 또한 동료 관계라고도 할 수 없습니다.

그러나 상대가 의지했을 때에 자신이 할 수 있는 한 진지하게 받아준다면 일방적인 관계는 언젠가는 해소됩니다.

빚을 오랜 기간에 걸쳐 갚는 것도 좋습니다. 젊은 시절에는 상사나 선배에게서 배우기만 합니다. 도움을 요청해야 하는 상황이 압도적으로 많습니다.

그렇다고 해서 곧바로 빚을 갚을 수는 없는 것이 현실입니다. 이럴 경우 본인이 성장하여 먼 훗날에 돌려주면 됩니다. 5년 후, 10년 후에 은혜를 갚아도 상관없습니다.

그 상사나 선배에게 직접 빚을 갚는 방법도 있고, 자신이 후배를 도움으로서 빚을 갚는 방법도 있습니다. 빚은 사회 전체에 돌려주면 됩니다.

사람은 도움 받은 경험이 많으면 많을수록 자신도 다른 사람을 돕고 싶어합니다. 젊은 시절에 도움을 받은 경험이 많은 사람일수록 윗자리에 올라섰을 때 부하직원을 도우려 합니다.

반대로 모든 일을 혼자 처리하던 사람은 부하직원에게 엄격합니다. '왜 이런 일도 못하느냐?', '나는 이렇게 했었다.'고 생각합니다.

원피스에 등장하는 해적단 선장 중에는 루피와 달리 부하에게 엄격한 선장도 있습니다.

검은 고양이크로네코해적단의 캡틴 크로, 클리크 해적단의 수령 돈 클리크가 그렇습니다. 크로커다일 역시 자신의 힘 이외는 믿지 않는 리더입니다.

이런 사람들에게는 사람이 모이지 않습니다. 이들 밑에서 일해봤자 각자의 꿈을 이룰 수 없기 때문입니다.

역시 루피나 흰 수염, 샹크스처럼 선원을 진심으로 지키려고 하는 선장 밑에서 일하고 싶겠지요. 목숨을 걸고 다른 사람을 돕는 사람이기에 내 목숨을 걸 만한 가치가 있는 것이고, 함께 꿈을 이룰 수 있는 사람이기에 같이 지내고 싶어하게 마련입니다.

루피나 흰 수염 같은 상사를 꿈꾸십시오. 그러기 위해서라도 주변 사람의 도움을 적극적으로 요청했으면 합니다. 지금의 윗사람이 도와주지 않는다면 다른 사람에게 도움을 요청하면 됩니다. 돌려줄 수 있을 때까지 힘을 축적하면서 빚을 지면 됩니다.

　이런 과정 속에서 당신은 다른 사람의 힘을 끌어올릴 수 있는 사람으로 성장할 것입니다.

하나의 목표를 향해 동료가 힘을 모아야 큰 성과를 얻을
수 있습니다. 동료의 이름을 부르며 같은 목적을 가지고
같은 방향을 향하고 있다는 사실을 항상 확인해야 합니다.
그리고 동료를 위해서 자신이 할 수 있는 일이 무엇인지를
항상 생각해야 합니다.

밀짚모자 해적단의 집단지성 동료효과

강한 팀을 만들기 위해
필요한 3가지

경영과 조직 이론의 선구자인 체스터 버나드는 조직^팀의
성립을 위해서 다음 3가지 요소가 필요하다고 말합니다.

1. 공동 목적
2. 의사소통
3. 공헌 의지

우선 '공동 목적'이란 꿈을 말합니다. 이 부분에 대해서

는 2장에서 말한 그대로입니다. 꿈을 공유해야만 동료로서 조직을 구성할 수 있습니다. 하나의 목표를 향해 동료가 힘을 모아야 큰 성과로 이어집니다.

다음으로 '의사소통'입니다. 개인별로 노력할 때도 계속 의사소통을 하는 것이 중요합니다.

루피 일행은 끊임없이 의사소통을 합니다. 항상 시간을 같이 보내고 아무리 시시콜콜한 일이라도 대화를 합니다.

같은 배를 타는 해적이기에 같은 공간에서 시간을 보내는 것은 당연하지만, 그래야 동료 의식이 강해집니다.

같은 목적을 갖고 같은 방향으로 향하고 있다는 사실을 항상 확인해야 합니다. 끊임없는 의사소통은 팀의 잠재력을 극적으로 향상시킵니다.

또한 의사소통을 할 때에는 '말'을 중요하게 생각해야 합니다. 특히 상대방의 이름을 부르는 것은 동료의식을 높이는데 효과적입니다.

원피스의 등장인물이 서로 이름을 부르는 일이 많다는

점도 큰 특징 중 하나입니다. 만화이기 때문에 이름을 부르지 않으면 누군지 헷갈리기 때문이기도 하겠지만, 비단 이것 때뿐만은 아닌 것 같습니다.

현실 사회에서도 이름을 부르는 효과는 분명히 드러납니다. 용건이 있을 때는 반드시 상대편의 이름을 불러 봅시다. 다음 2가지를 비교해 보면 이해가 될 것 입니다.

"죄송한데요, 이 프로젝트에 대해 알려 주시겠어요?"
"죄송한데요, 스즈키과장님. 이 프로젝트에 대해 알려 주시겠어요?"

어느 쪽이 스즈키과장의 마음을 움직일까요?

물론 후자입니다. 다른 사람이 아닌 바로 나에게 의지하고 있다는 생각에 상사도 적극적으로 협력해줄 것입니다.

겨우 이름 하나 불렀을 뿐이지만, 이 방법은 관계를 강화하기 위한 강력한 비밀병기입니다. 가장 기분 좋게 들리는 말은 당사자의 이름이라는 연구도 있었습니다.

이름을 부른 횟수만큼 끈끈한 관계를 만들수 있다는 생

각으로 실천하기 바랍니다.

'공헌 의지'는 '동료를 받쳐주는 힘'입니다.

자신을 희생해서라도 동료를 위하겠다는 마음이 필요한데, 이를 위해 '자신이 할 수 있는 것이 무엇인지'를 항상 생각하는 것이 중요합니다.

밀짚모자 해적단은 항상 동료를 위해 자신이 할 수 있는 일이 무엇인지를 생각합니다.

왕녀 비비와 밀짚모자 해적단루피 제외이 알라바스타 왕국의 수도 아르바나로 향하던 때의 일입니다.

크로커다일의 압도적인 힘을 뼈저리게 느낀 밀짚모자 해적단은 앞으로의 싸움에 불안해하며 신경이 곤두서 매우 예민한 상태였습니다.

이때 우솝은 동료를 독려하여 분위기를 바꾸기 위해 혼자 생각합니다.

'상대가 상대이니만큼 모두들 신경이 곤두서 있어. 이런 때야말로 부선장인 이 몸이!!!'

20권 179화《결전은 아르바나에서》

유감스럽지만 비비가 먼저 "다들 걱정 마!! 루피는 지지 않아!!! 약속했잖아!! 우린 아르바나에서 기다리겠다고 말이야!!!"라고 말해 선수를 빼앗깁니다. 하지만 우솝은 전투력이 낮은 본인이 할 수 있는 일을 생각하고 분위기를 누그러뜨리려 했습니다.

상황이 어떻든 전투력이 어떻든, 조직에 있는 한 사람 한 사람이 동료를 위해 할 수 있는 일을 찾아 행동에 옮깁니다.

바로 이것이 공헌 의지입니다.

공헌 의지는 길게 보면 자신의 입장 또한 견고히 합니다. 공헌 의지가 있는 사람에게는 모두가 신뢰를 보내기 때문입니다.

자신의 특기가 있다면 그것으로 기여하면 됩니다. 특기가 없는 사람은 '내가 할 수 있는 일은 무엇인지'에 대해 항상 자문해보기 바랍니다.

당신의 특기나 개성은 이러한 자문자답에서 시작될 것입니다.

루피는 계급 구조를 부정합니다.
수직적 사회에서는 자유가 없기 때문입니다.
루피는, 해야 할 일은 스스로 정해야 하며 옳은지 그른지의
판단도 본인이 직접 해야 한다고 생각합니다.
오늘날 기업이나 조직의 구조도 수평적 관계로
변화하는 중입니다.

밀짚모자 해적단의 집단지성 동료효과

원피스식
수평적 관계

다음으로 이상적인 동료 관계에 대해 살펴보겠습니다.

원피스 세계의 조직은 크게 3가지로 나눌 수 있습니다.

①계급 구조^{해군}

②유사 가족 구조^{흰 수염 해적단}

③수평적 관계^{밀짚모자 해적단}

우선 과거의 일본 기업이 '계급 구조'의 전형적인 예입니다. 수직적 사회라고도 할 수 있습니다. 회사 안에서 가장 높은 사람은 사장이며, 상사의 명령에는 반드시 복종해야 합니다. 아무리 불합리한 요구라 하더라도 거역하면 상사에게 찍힙니다. 최악의 경우 그만두어야 하는 상황에 까지 이릅니다.

조직이 커질수록 어쩔 수 없이 계급 구조가 되어 버립니다. 대기업이나 공직사회는 여전히 이 구조를 유지합니다.

예부터 군대는 계급 구조입니다. 원피스에서도 해군의 구조는 총사령관을 정점으로 하는 수직적 사회로 완전한 피라미드 구조를 형성합니다.

루피는 이 계급 구조를 부정합니다. 수직적 사회에는 '자유'가 없기 때문입니다. 루피에 따르면, 해야 할 일은 스스로 정해야 하며 옳은지 그른지의 판단도 본인이 직접 해야 합니다.

오늘날의 세상도 서서히 수직적 사회를 부정하는 방향으로 흘러가고 있는 듯합니다. 많은 사람들이 루피와 같은 수평적 관계를 동경하는 이유도 여기에 있습니다.

밀짚모자 해적단의 집단지성 동료효과

당신의 조직은 어떤 구조인가요?

Ⅰ. 계급 구조(해군) : 피라미드 구조

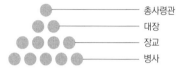

총사령관
대장
장교
병사

절대적인 상하 관계 / 개인의 자유는 없음

Ⅱ. 유사 가족 구조(흰 수염 해적단) : 느슨한 피라미드 구조

선장
대장
선원

그다지 엄격하지 않은 상하 관계
최소한의 규칙만 지킨다면 개인의 자유가 보장됨

Ⅲ. 수평적 구조(밀짚모자 해적단) : 동료 관계

동료

상하관계 없음 / 개인이 자유로이 활동함

현대 사회에서는 가족적 구조에서 동료적 구조로 서서히 바뀌고 있음.

'유사 가족 구조'는 중소기업에서 볼 수 있는 가족 경영이 전형적인 예입니다.

제대로 운영된다면 매우 따뜻하고 이상적인 조직 구조입니다.

흰 수염 해적단이 이 구조입니다. 흰 수염은 자신의 선원을 아들이라고 부르는데, 각 대대에 대장이 있고 어느 정도의 계급은 존재합니다.

그러나 계급 구조만큼 상하 관계가 엄격하지 않고 규율도 없습니다유일하게 《동료 살인》만은 엄격히 벌합니다. 그렇기는 하나 흰 수염을 정점으로 하는 피라미드 구조가 느슨하게 존재합니다.

1장에서 드래곤볼과 원피스의 차이점을 설명할 때, 현대 사회에서는 행동 단위가 가족에서 동료로 바뀌었다고 말했습니다. 그뿐만 아니라 오늘날의 사회에 적합한 기업과 조직의 구조도 서서히 변화하는 중입니다.

달리 말하면, ①은 '회사'이며 ②는 '가족'입니다. '회사'와 '가족'의 굴레에서 벗어난 관계가 ③의 수평적 관계, 즉 밀짚모자 해적단과 같은 '동료'입니다.

밀짚모자 해적단의 집단지성 동료효과

동료에게 잘못을 지적당한 루피는 순순히 사과합니다.
자신이 리더라 할지라도 동료의 지적이나 변명을
받아들이고 자신이 틀렸을 경우 솔직하게 인정합니다.
수평적인 관계야말로 서로 의견을 교환하면서
틀린 점을 지적하고 도울 수 있습니다.

넌 선장으로서
실격이야!

선장은 루피이고 배의 진로를 결정하는 것도 루피입니다. 동료들도 무슨 일이 있으면 그를 앞세웁니다. 우솝과 고잉 메리호 처리 문제에 대해 싸웠을 때에도 조로는 다음과 같이 말합니다.

"잘 들어. 늬들. 이런 바보라도 직책은 '선장'이야. 정작 중요한 순간에 이 녀석의 위치를 무시할 녀석은 차라리 일당에 없는 편이 나아…!! 선장이 '위엄'를 잃은 일당은 반드

　　　밀짚모자 해적단의 집단지성 동료효과

시 붕괴해!!!"

45권 438화 《자존심》

때로는 루피가 혼자만의 판단으로 '선장 명령'을 내립니다.

하지만 밀짚모자 해적단에서는 피라미드 구조를 찾아볼 수 없습니다. 리더는 존재하지만 결코 지배적이지 않습니다.

아직 선의 쵸파가 없을 때의 이야기입니다. 고열로 쓰러진 나미를 의사에게 진찰받게 하기 위해 루피 일행은 겨울 섬인 드럼섬에 잠시 배를 댑니다.

섬에 들어간 루피 일행은 싸울 생각이 없다는 점, 환자가 있기 때문에 의사를 찾고 있다는 점을 전달하지만 해적을 싫어하는 호위대가 루피 일행에게 발포합니다.

화가 난 루피는 호위대를 공격하려고 하지만 비비는 그를 막으며 다음과 같이 말합니다.

비비 "넌… 선장으로 실격이야, 루피. 힘으로 모든 게 해결되지는 않아!!! 여기에서 싸우게 되면…. 나미는 어떻게 되지?"

루피 "응, 미안!!! 내가 잘못 생각했다!!! 의사를 불러주십시오. 동료를 구해주세요."

15권 132화 《그치?》

루피는 나미를 위해 겨울섬의 주민에게 무릎을 꿇고 부탁합니다. 그 모습에 진심을 느낀 호위대는 루피 일행을 마을로 안내합니다.

때로는 선장도 잘못 판단합니다. 어떤 리더라 할지라도 인간이기에 실수하는 것은 당연합니다.

동료가 그 실수에 대해 지적할 수 있다는 것, 바로 이 점이 수평적 관계의 강점입니다.

동료에게 잘못을 지적당한 루피는 순순히 사과합니다. 자신이 리더라 할지라도 동료의 지적이나 변명을 받아들이고, 자신이 틀렸을 경우 솔직하게 인정합니다. 리더이든 부하이든 매우 떳떳하고 바람직한 모습입니다.

수평적인 관계야말로 서로 의견을 교환하면서 틀린 점을 지적하고 도울 수 있습니다.

지배적인 관계라면 서로 돕는다기보다는 리더에게 보호를 받는 상황이 더 많습니다. 그래서 리더의 명령에 절대적으로 복종해야만 합니다.

루피 일행과 같은 수평적인 동료 사이는 의사소통이 매우 유연합니다. 자신의 의견을 말할 수 없는 조직, 자신의 의견이 받아들여지지 않는 조직은 불편하기 때문에 빨리 떠나고 싶습니다.

의사소통의 유연함은 서로 도와야 하는 동료 사이에 없어서는 안 될 요소입니다.

항상 같은 꿈과 목적을 향해 협력하지만 동료라 하더라도
서로 바람직한 긴장감 있는 라이벌 관계를 유지하는 것이
중요합니다.
이런 긴장감은 개개인의 성장에 많은 도움이 됩니다.

밀짚모자 해적단의 집단지성 동료효과

동료와는
라이벌이기도 하다

　그렇지만 지내기 편하다고 해서 단지 사이좋은 친목 관계가 되어 버리면 큰 성과를 얻을 수도 없고 개개인의 성장도 기대할 수 없습니다.

　동료라 하더라도 서로 바람직하고 긴장감 있는 라이벌 관계를 유지하는 것이 중요합니다.

　조로와 상디는 결코 사이가 좋다고 할 수 없습니다. 조로는 상디의 눈썹을 '빙글 눈썹'이라고 부르며 싸움을 걸고, 상디 역시 조로의 머리를 '마리모 머리'라고 부르며 반격합니다.

싸움 장면에서도 처음에는 자신의 힘만으로 적을 무찌르려 합니다. 힘들어지면 서로 협력하지만 서로가 '자신이 더 강하다.'고 생각합니다.

루피와 조로도 전투력 면에서 라이벌이라고 할 수 있습니다.

약간의 오해로 둘이 싸우는 장면이 있습니다. 이때 그들은 다음과 같이 말합니다. 평소에는 표현하지 않았던 자존심과 라이벌 의식이 분명하게 드러나는 장면입니다.

조로 "찬스다…. '무투'와 '검술' 어느 쪽 더 센지 판가름 해보자!!"

루피 "그래!! 확실하게 밝혀 보자고!!!"

13권 112화 《루피VS조로》

우솝과 쵸파, 그리고 나미는 본인들이 약하다는 사실을 잘 알고 있습니다. 그러나 그 사실에 만족하면서 가만히 있지는 않습니다.

밀짚모자 해적단의 집단지성 동료효과

조금이라도 더 강해져서 동료의 보호를 받는 존재에서 동료를 보호하는 존재가 되고 싶어 합니다. 신체 능력의 정도는 다르지만 약한 인물들끼리의 경쟁심과 향상심이 있습니다.

나미 "적어도 다른 사람들한테 폐가 안 될 정도의 힘은 갖고 싶어…!!"

21권 190화 《크리마 택트》

쵸파 "난 더 믿음직스런 남자가 될 거야!!!"

27권 252화 《JUNCTION》

우솝 "너랑 쵸파와 엮였던 약골 트리오는 졸업하겠어!! 무슨 일이 벌어지든 이젠 동요하지 않아!! 난 그런 '전사'가 됐다고!!!"

61권 598화 《2년 후》

항상 같은 꿈과 목적을 향해 협력하지만, 라이벌 의식이나 경쟁심은 계속 갖고 있습니다. 그러면서 서로 능력을 향상시킵니다.

이런 긴장감도 동료 사이에는 반드시 필요합니다.

각자의 역할에 맞추어 리더가 바뀌는 것도
밀짚모자 해적단의 특징입니다.
멤버 모두가 활약할 수 있는 분야가 있다는 점입니다.
서로의 능력을 높이 평가하기에 수평적인 관계를
유지할 수 있습니다.
존중의 욕구가 충족되면 사람은 강해집니다.

역할에 따라
리더가 바뀌다

각자의 역할에 맞추어 리더가 자주 바뀌는 것도 밀짚모 자 해적단의 특징입니다.

항해술에 있어서는 나미가 리더입니다. 배의 진로를 결 정하는 것은 선장 루피지만, 목적지를 향한 항로를 판단하 는 것은 나미입니다. 진로에 맞추어 선원에게 지시를 내리 는 그녀에게 아무도 거역할 수 없습니다.

모두 그녀의 항해술을 신뢰하기 때문입니다.

요리에 있어서는 상디가 리더입니다. 먹보인 루피는 자

주 냉장고를 뒤져 상디에게 혼이 납니다. 이때만은 루피보다도 상디가 위에 위치합니다.

의술에 있어서는 쵸파가 리더이고, 포격에 있어서는 우솝을 능가할 자가 없습니다. 배의 관리는 프랑키에게 일임합니다.

즉 멤버 모두가 활약할 수 있는 분야가 있습니다. 서로의 능력을 높게 평가하기에 수평적인 관계를 유지할 수 있습니다.

자신이 활약할 수 있는 분야가 없으면 사람은 점점 위축됩니다. '나는 있어도 그만 없어도 그만인 존재다.', '다른 사람에게 폐만 끼치고 있다.'와 같은 부정적인 생각만 하게 됩니다.

존경의 욕구가 충족되면 사람은 강해집니다.

아무리 사소한 것이라도 좋으니 자신이 활약할 수 있는 분야를 갖는 것이 중요합니다. 윗사람이 제시하지 않는다면 스스로 그 분야를 만들면 됩니다. 사내 행사를 주재하든 회의를 진행하든 무엇이든지 다 괜찮습니다. 의사록 작성, 운전, 자리 맡기 다 좋습니다.

밀짚모자 해적단의 집단지성 동료효과

자신의 존재를 확인할 수 있는 분야를 스스로 확보하는 것이 앞서 언급한 공헌 의지이기도 합니다.

그리고 자신이 리더가 되었을 때는 부디 '지배적인 리더가 되지 않기', '모든 사람에게 활약할 수 있는 분야를 제공하기'를 염두에 두고 누구나가 서로 도울 수 있는 분위기를 만들어주기 바랍니다.

| PART 3 | 동료와 서로 돕는 방법

· 나의 나약함을 동료에게 알린다.

· 동료의 약점과 단점을 우습게 여기지 않는다.

· 내 단점은 동료가 보완하고, 동료의 단점은 내가 보완한다.

· 어려움에 처했을 때는 순순히 도움을 요청한다.

· 함께 지내는 시간을 늘린다.

· 대화로 의사소통을 활발히 한다.

· 상대의 이름을 부른다.

· 동료를 위해 할 수 있는 일을 찾는다.

· 서로 틀린 점을 지적하고 순순히 인정한다.

· 라이벌을 동료로 인식한다.

· 역할에 따라 리더를 바꾼다.

· 자신이 활약할 수 있는 분야를 준비한다.

루피 우리들 목숨도 같이 걸어봐!!!

같은 동료잖아!!!!

1권 6화 《첫 번째 동료》

PART 4

동료와 신뢰를 쌓는
방법

– 싸움 뒤의 '파티'의 의미 –

한 번이라도 무조건적인 사랑을 받아본 경험이 있는
사람은 동료를 신뢰합니다. 반대로 한 번도 이런 사랑을
받아본 적이 없는 사람은 아마도 다른 사람을 믿지 못하고
항상 의심하는 인물이 되지 않을까요?
애정의 기억이 없는 사람은 다른 이를 사랑할 수도 없습니다.
사랑은 받기만을 위한 것이 아닙니다.

신뢰의 원천은 과거에 받은
무조건적인 사랑

사람을 신뢰하는 일은 매우 어렵습니다.

특히 극한의 상황에서는 더욱 그렇습니다. 목숨이 걸린 상황에서 동료를 신뢰하냐는 질문을 받으면, 아마 대부분의 사람은 머리를 저을 것입니다. 그러나 밀짚모자 해적단은 너무나도 쉽게 동료를 신뢰합니다.

이러한 신뢰의 원천은 어디에서 비롯된 것일까요?

저는 밀짚모자 해적단 한 사람 한 사람이 과거에 받은 무조건적인 사랑이 동료를 신뢰하는 힘이 되었다고 생각합니다.

루피에게는 루피의 목숨을 구해준 샹크스가 있습니다. 어릴 적부터 항상 도와준 의형제 에이스도 있습니다.

나미에게는 양어머니 벨메일이 있고, 상디에게는 붉은 발 제프가 있습니다. 우솝에게는 우상인 아버지 야솝과 아가씨 카야가 있습니다. 로빈에게는 어머니 올비아도 있고 거인족 사우로도 있습니다.

쵸파에게는 닥터 히루루크와 닥터 쿠레하가 있습니다. 프랑키에게는 해적왕 골드 로저의 해적선을 만든 스승 톰, 브룩에게는 50년 넘게 돌아오기를 기다리는 고래 라분이 있습니다. 조로에게는 어린 나이에 세상을 떠난 소꿉친구 쿠이나가 추억 속에 빛나고 있습니다.

모두 각자가 존경할 수 있는 사람에게서 무조건적인 사랑을 받은 기억이 있습니다. 이런 경험으로 루피 일행은 동료를 신뢰하는 힘을 익혔다고 할 수 있습니다.

무조건적인 사랑을 한 번이라도 받아본 경험이 있는 사람은 동료를 신뢰합니다.

반대로 한 번도 이런 사랑을 받아본 적이 없는 사람은

밀짚모자 해적단의 집단지성 동료효과

어떤 인물로 성장할까요? 아마도 다른 사람을 믿지 못하고 항상 의심하는 인물이 되지 않을까요? 애정의 기억이 없는 사람은 다른 이를 사랑할 수도 없습니다.

적어도 진심으로 사람을 신용하기는 어려울 것입니다.

동료를 신뢰하기 위한 대전제는 무조건적인 사랑을 받은 경험이 있느냐 없느냐 하는 것입니다.

이렇게 말하면 '나에게는 그런 경험이 없다.'고 말하는 사람도 있을 것입니다.

하지만 그것은 다만 의도적으로 인식한 적이 없기 때문은 아닐까요? 부모의 무조건적인 사랑을 받지는 않았나요? 학교 선생님이나 선배, 친구로부터는 어떻습니까? 신뢰란 사람과 사람과의 사이에 항상 존재합니다.

그중에는 아무리 생각해도 누구 하나 떠오르는 이가 없다는 사람도 있을 것입니다. 이런 사람도 언젠가는 반드시 사랑을 줄 사람을 만날 수 있다고 믿기 바랍니다.

당신이 이 책을 손에 쥔 이유는 진실한 동료가 있으면

좋겠다고 생각했기 때문이라고 저는 생각합니다.

먼저 무조건적인 사랑을 베풀기, 즉 신뢰할 만한 동료를 얻을 수 있도록 사람이나 사회에 벽을 쌓지 않으면 좋겠습니다.

만약 무조건적인 사랑을 받은 기억이 없는 사람을 만난다면 당신이 그 사랑을 줄 수 있는 사람이 되어 주십시오. 사람을 사랑하고 사랑을 주는 것을 삶의 보람과 즐거움으로 여기는 인생도 썩 괜찮습니다. 사랑은 받기만을 위한 것은 아닙니다.

무조건적인 사랑을 받은 경험을 추억하고 다른 사람에게도 그러한 경험이 있다고 믿는 것. 이것이야말로 신뢰하는 관계를 만드는 대전제입니다.

'맡긴다'는 것이 진화하면 '부탁한다'로 발전합니다.
자신의 소원을 남에게 부탁하는 것은 가장 끈끈한 신뢰
관계를 형성하도록 도와줍니다.
부탁받은 사람의 힘은 부탁한 사람에 의해 더욱 강해집니다.

몽블랑 크리켓이
부탁한 소원

밀짚모자 해적단은 "그쪽은 맡기겠다.", "나한테 맡겨라.", "내가 맡을게."와 같은 말을 자주 합니다. 싸우는 장면에서도 그렇지 않은 장면에서도 서로에게 참 잘 맡깁니다.

그리고 그 일을 맡은 사람은 무슨 일이 있어도 중간에 포기하지 않습니다. 마지막까지 전력투구하여 임무를 완수합니다.

루피는 동료뿐 아니라 많은 사람들의 신뢰를 받습니다.

항해 중에 실로 많은 사람이 그에게 협력합니다. 이는 루피가 '다른 사람이 부탁한 소원을 현실화하기'때문입니다.

루피 일행은 천상에 위치한 하늘섬에 가던 중 꿈을 이야기하는 몽블랑 크리켓이라는 한 남자를 만납니다. 그는 유명한 동화 '거짓말쟁이 노랜드'에 등장하는 몽블랑 노랜드의 자손입니다.

자야섬에 황금향과 아름다운 소리를 내는 황금종을 발견한 노랜드는 국왕과 함께 다시 자야섬을 찾게 되는데, 황금향도 황금종도 없었기 때문에 거짓말쟁이 취급을 당하며 처형됩니다. 이것은 400년이나 지난 과거의 이야기입니다.

'거짓말쟁이 노랜드' 탓에 오랫동안 비난받은 몽블랑 크리켓은 그 속박에서 해방되기 위해 황금향을 계속 찾아 다닙니다.

몽블랑 크리켓 일행의 협력으로 하늘섬에 무사히 도착한 루피 일행은 그곳에서 사악한 신인 갓 에넬과 싸우게 되고, 노랜드 크리켓이 찾았던 황금향과 황금종, 즉 몽블랑 크리켓이 찾아 헤매던 것들을 발견합니다.

"거짓말 같은 거 하지 않았어…. 그러니까 밑에 있는 아저씨네한테 가르쳐 줄거야!!! '황금향'은 하늘에 있었다고…!!! 종을 울리면 들릴거야!!!"

"그러니까 난!!! 황금종을 울릴거야!!!"

31권 294화 《뇌영》

보기 좋게 갓 에넬을 무너뜨린 루피는 황금종을 울립니다.

종소리를 들은 몽블랑 크리켓은 노랜드 크리켓이 거짓말쟁이가 아니었다는 사실, 황금향이 하늘에 있었다는 사실을 알게 되어 루피에게 눈물을 흘리며 고마워합니다.

'맡긴다'는 것이 진화하면 '부탁한다'로 발전합니다. 자신의 소원을 남에게 부탁하는 것은 가장 *끈끈한* 신뢰관계를 형성하도록 도와줍니다.

노랜드의 소원은 몽블랑 크리켓에게로 이어졌고, 또 그 소원은 루피 일행에게로 이어졌습니다. 그리고 루피는 이 소원에 멋지게 응답합니다.

밀짚모자 해적단의 집단지성 동료효과

부탁받은 사람의 힘은 부탁한 사람에 의해 더욱 강해집니다.

당신은 자신의 소원을 다른 사람에게 부탁한 경험이 있습니까?
누군가로부터 무언가를 부탁받은 경험이 있습니까?
부탁받은 소원에 제대로 응한 경험이 있습니까?

소원을 부탁받는다는 것은 분명 무거운 짐입니다. 가능하면 받지 않으려는 것이 당연하고, 나부터도 다른 사람에게 무언가를 부탁하기도 주저합니다.
그러나 우리들은 좀 더 서로에게 소원을 부탁해도 괜찮지 않을까요? '부탁'은 신뢰의 진화형입니다.

힘으로 강요하는 관계는 어디까지나 속박에 불과하며
신뢰가 아닙니다.
오히려 신뢰를 쌓지 못하기 때문에 규칙이나 규정으로
통제하려는 것입니다.
신뢰할 수 있는 동료 사이에는 강제력이 필요 없습니다.
이것은 원피스를 읽다보면 특히 실감나는 부분입니다.

밀짚모자 해적단의 집단지성 동료효과

지배 같은 거
안 해!

신뢰 관계는 물리적인 규칙이나 규정상의 강제력으로 구축할 수 있는 것이 아닙니다. 신뢰란 정신적인 영역이기 때문에 아무리 물리적인 강제력이 가해지더라도 신뢰 관계로는 발전하지 못합니다.

힘으로 강요하는 관계는 어디까지나 속박에 불과하며 신뢰가 아닙니다. 오히려 신뢰를 쌓지 못하기 때문에 규칙이나 규정으로 통제하려는 것이라고 할 수 있습니다. 원피스에서는 해군이 그 전형적인 예입니다.

해군 같은 거대한 조직은 규칙과 규정이 필요하다는 점은 이해가 됩니다. 나라를 통제하는 기반이 헌법이라는 사실은 누구나가 인정합니다.

그러나 적은 수의 동료라면 지나치게 세세한 규칙과 규정은 신뢰 구축에 오히려 폐해로 작용합니다. 규칙과 규정을 일일이 열거해야 한다면 이는 동료라고 부를 수 없습니다.

현실 세계를 들여다보면 지배욕과 독점욕이 강한 사람이 많은 것 같습니다. 자신이 말하는 대로 부하직원을 움직이고 싶어 하는 상사, 자신의 방식이 절대적으로 옳다고 생각하는 선배, 연인을 속박하는 사람, 부부 관계에 규칙을 따지는 사람….

어느 정도의 강제력은 필요하겠지만 도가 지나치면 부하직원을 속박하는 상사 혹은 스토커나 몬스터 페어런트라고 불리는 사람이 되어 버립니다.

지나친 지배욕은 불가피하게 악의로 이어지며 좋은 관계를 망칩니다.

동료 사이에는 강제력이 필요 없습니다. 원피스를 읽다

보면 특히 실감하는 부분입니다.

원피스 세계에서는 종종 "우리는 해적이니까 그런 일 따위 상관없다."는 식의 대사가 나옵니다. 애초에 해적은 법률을 무시하는 범죄자이기 때문에 규칙이라는 것도 존재하지 않습니다.

정부에 협력하는 해적 칠무해 중 하나인 돈키호테 도플라밍고조차 정부 측 사람에게 다음과 같이 말합니다.

"너, 거들먹대지 말라고…. 언제부터 내 상관이 됐지. 너희들이 정부 내에서 얼마나 많은 권한을 가지고 있든 난 해적…. 상관이 없어…!! 너희들과의 거래가 재미없어지면 난 언제든 '칠무해'를 그만두지…. 똑똑히 기억해두라고!!"

61권 595화 《선서》

본래 자유로운 해적이지만 해적단의 일원이 되면 그곳에는 지배 관계가 존재합니다. '선장의 명령'으로 무리한 요구를 받거나 공포심을 갖게 됩니다.

밀짚모자 해적단에는 이런 지배 관계가 전혀 존재하지

않습니다. 서로 속박하거나 간섭하지 않습니다.

"지배 같은 거 안 해. 이 바다에서 가장 자유로운 녀석이
해적왕이야!!"

52권 507화 《키자루 상륙》

루피의 꿈은 모두가 소중히 여기며 공감하지만, 다른
동료의 꿈에 대해서는 서로 무관심한 것처럼 보이기도 합
니다.

전투 장면에서는 "이렇게 해라, 저렇게 해라"라고 하지
만, 동료의 근본적인 삶이나 태도 등 장기적인 계획이나 라
이프스타일, 가치관에 대해서는 전혀 간섭하지 않습니다.

동료를 받아들일 때도 루피는 "동료가 되어라"라고 말
하지만 최종 판단은 본인에게 맡깁니다. 본인의 의지로 동
료가 된다는 점을 중요시합니다.

동료의 인생이나 인격을 통제하려고 하지 않는 것입니다.

이는 매우 이상적인 동료 관계입니다.

흰 수염 해적단 역시 규칙이 없는 해적입니다. 유일하게

'동료 살인'이라는 죄목은 있지만 이것은 당연한거고, 그밖의 다른 규칙이 없다는 점에 많은 독자가 흰 수염 해적단을 동경한다고 생각합니다.

아무리 같은 팀이라 하더라도 동료의 라이프스타일이나 가치관처럼 본인이 소중히 여기는 근본 영역까지는 간섭하지 않는 것이 관계를 지속하는 비결입니다.

조로는 루피를 위해 목숨을 던져
거의 죽음에 이르는 중상을 입습니다.
동료를 위해서라면 자신의 목숨까지도 내 놓는
자기희생이 있으면 서로의 신뢰관계가 더욱 강해집니다.

밀짚모자 해적단의 집단지성 동료효과

대가를 바라지 않는
조로의 모습

동료의 신뢰를 받기 위해 무엇이 중요할까요?

3장에서 언급한 '공헌 의지'가 그중 하나입니다.

여기에서는 좀더 강한 공헌 의지인 '자기희생'에 대해 살펴 보겠습니다.

루피 일행이 동료를 위해서라면 자신의 목숨까지도 내놓는다는 사실은 여러 번 언급했습니다.

자기희생이 있으면 서로의 신뢰 관계는 더욱 강력해집니다.

스릴러바크라는 유령섬에서 칠무해 중 한 명인 겟코 모리아를 무너뜨린 루피 일행 앞에 더욱 강한 적인 바솔로뮤 쿠마가 등장합니다.

바솔로뮤 쿠마는 세계정부로부터 밀짚모자 해적단을 말살하라는 특명을 받고 스릴러바크를 찾아왔습니다.

겟코 모리아와의 싸움으로 반죽음 상태였던 루피 일행은 바솔로뮤 쿠마에게 압도적인 힘의 차이로 패배합니다.

바솔로뮤 쿠마는 루피의 목 하나를 내놓으면 다른 동료를 놓아주겠다고 말합니다.

이때 조로는 다음과 같이 말합니다.

"…알았다. 목은… 주지. 다만 그 대신…
　나의 목숨 하나로!! 봐주기 바란다…!!!"

50권 485화 《밀짚모자 일당·해적사냥꾼 조로》

조로는 루피를 위해 목숨을 던지며 거의 죽음에 이르는 중상을 입습니다.

이 상황에서 아무런 대가도 존재하지 않습니다. 아무런

대가가 없습니다. 조로의 이런 순수함이 그의 매력 중 하나입니다.

유감스럽게도 루피는 정신을 잃은 상태이었기에 조로가 자기 대신 상처를 입은 것을 모르지만, 이 사실을 안 상디나 브룩, 그리고 로빈은 조로를 새로이 평가합니다.

목숨을 걸 정도의 자기희생은 일상생활에서는 드문 일이지만, 대가를 바라지 않고 사람을 대하는 일은 실천할 수 있습니다.

'무슨 일이 생기면 윗선에서 책임을 지겠지.'라고 생각하면 신뢰를 얻을 수 없습니다. 자신을 희생한다는 것은 어리광부리지 않겠다는 뜻입니다.

반대로 말하면 대가가 필요 없다고 생각되는 행동을 직접 실천하는 것이 중요합니다. 열심히 집중할 수 있는 임무를 본인이 선택해야합니다. 본인이 능동적으로 선택하는 것이 중요합니다. 또한 선택한 일에 대해서는 반드시 책임지겠다는 자세를 주위에 보여주면서 책임에 대한 강한 의지를 전달합니다.

그러면 목표를 달성하지 못하거나 제대로 성과가 나지

않더라도 동료나 주위 사람들이 이해해줄 것입니다. 단기적으로는 결과가 보이지 않아도 장기적으로 이것은 큰 이득입니다.

대가없이 노력한다는 점만 확실히 보여준다면 당신이 다시 새로운 도전을 할 때 주위 사람은 큰 힘을 보태 줄 것입니다.

밀짚모자 해적단의 집단지성 동료효과

거대한 악의와 싸우면서 서로가 상대편을 소중히 여기고
필요로 한다는 점을 공감합니다.
같은 고통을 겪으며 목표를 이룬 동료와는 시간이 흘러도
여전히 끈끈한 관계를 유지할 수 있습니다.

로빈을 떼어 놓으려는
악의와의 싸움

적과 싸우다 보면 동료와의 관계가 끈끈해집니다. 진짜 적과 진짜 동료를 판가름할 수 있기 때문입니다.

루피 일행은 동료 관계를 끊으려는 악의에 대항하여 싸운다고 1장에서 설명하였습니다. 이 싸움의 전형적인 예가 세계정부의 비밀기관인 CP9에 붙잡혀 있는 니코 로빈을 루피 일행이 구하는 장면입니다.

로빈은 오하라 고고학자의 유일한 생존자입니다.

밀짚모자 해적단의 집단지성 동료효과

그녀가 태어난 오하라섬은 학자들의 성지이며, 고고학자들은 공백의 100년 역사를 규명하기위해 '역사의 본문포네그리프'를 해독합니다.

'역사의 본문' 해독은 세계정부가 금지하는 행위입니다. 고고학자의 행동을 눈치 챈 정부는 오하라섬에 '버스터콜'을 발동합니다.

버스터콜이란 해군본부 중장과 대형 군함을 소집하는 긴급 지령입니다. 섬 하나를 없애버릴 정도의 위력을 가졌습니다. 실제로 버스터콜이 발동된 오하라섬은 흔적도 없이 사라졌고, 로빈은 버스터콜에 대해 상상조차 할 수 없는 공포심을 갖습니다.

고액의 현상금이 걸린 로빈은 진정한 동료를 찾기가 어려웠습니다. 로빈이 조직에 들어가면 정부의 표적이 되고 그녀와 연루된 조직은 모두 괴멸되기 때문입니다.

그러나 루피 일행과 만난 뒤 그녀는 차차 변해갑니다.

처음에는 호기심으로 루피 일행에게 접근한 로빈 역시 함께 항해를 하면서 본인 역시 일원이 되고 싶다며 마음을 열게 됩니다.

그러나 정부는 로빈을 그냥 놓아두지 않았습니다. 루피 일행에게 버스터콜을 발동하지 않는 대신 로빈이 정부 측에 들어올 것을 종용하며 위협합니다.

어렵게 만난 진짜 동료를 힘들게 할 수 없기에 로빈은 자신을 희생하려 합니다.

로빈은 루피 일행의 목숨을 지키기 위해 동료를 배신하는 척하며 혼자 싸우고 있었습니다.

그럼에도 불구하고 루피 일행은 마지막까지 그녀를 신뢰합니다. 로빈의 입에서 "이제 두 번 다시 만날 일이 없다."는 말을 들어도 이 말을 믿지 못해 고민합니다. 이후 진실을 알게 된 루피 일행은 정부를 적으로 돌리면서까지 로빈을 구하려 합니다.

루피 일행은 자신들에게서 로빈을 떼어놓으려 하는 악의와 싸우는 것입니다.

이 싸움을 통해 밀짚모자 해적단과 로빈의 관계는 급격

밀짚모자 해적단의 집단지성 동료효과

히 변합니다. 사실 로빈은 지금까지 해적단과 거리를 두었습니다.

그러나 거대한 악의와 싸우면서 서로를 소중히 여긴다는 점, 서로를 필요로 한다는 점을 이해하였습니다. 바로 이 시점에 로빈은 진짜 동료가 됩니다.

로빈이 동료를 부르는 호칭을 살펴 보면 잘 알 수 있습니다.

예전에는 나미를 '항해사 씨'라고 불렀지만 이 싸움 뒤에는 '나미'라고 부릅니다. 우솝도 '코쟁이 군'에서 '우솝'으로, 상디도 '요리사 씨'에서 '상디'로, 쵸파도 '선의 씨'에서 '쵸파'로 바뀌었습니다.

동료에게 마음을 열었다는 증거입니다.

"강적과 싸운다. 그리고 이긴다." 이것은 큰 목표를 가지고 함께 어려움을 극복해야만 비로서 달성할 수 있습니다.

이러한 공동의 경험이 동료 사이의 관계를 끈끈하게 해 줍니다.

같은 고통을 겪으며 목표를 이룬 동료와는 시간이 흘러

도 여전히 끈끈한 관계를 유지할 수 있습니다. 거대한 프로젝트든 국제 시합이든 큰 임무를 함께 완수한 동료는 이후에도 끈끈한 인연으로 묶여 있을 것입니다.

밀짚모자 해적단의 집단지성 동료효과

루피 일행은 싸움 뒤에는 반드시 파티를 엽니다.
함께 마시고 마음껏 웃으며 서로의 노고에 박수를
보냅니다. 이렇게 하면서 모두가 성공 경험을 공유합니다.

싸움 뒤의
'파티'의 의미

．

스스로에 대한 자신감을 갖기 위해서는 조금씩 성공 경험을 쌓아야 합니다. 얼떨결이든 운이든 어떠한 형태로든 성공을 경험해야 자신감으로 이어집니다.

사실 실제로 성공하지 않아도 상관은 없습니다. 과정 속에 노력했다는 사실이 사람을 성장하게 만들고 자신감을 부여합니다.

저는 매일 달리기를 합니다. 뛰기 시작한 지 몇 년이 지났지만 좀처럼 빨라지지는 않습니다. 굳이 따지자면 해마다

밀짚모자 해적단의 집단지성 동료효과

늦어지고 있습니다. 하지만 달린 날은 스스로에게 작게나마 자신감이 생기는 것을 느낍니다.

오늘도 또 하루 달렸다는 꾸준함을 실감하는 것이 스스로에게 자신감을 부여한다고 생각합니다. 노력했다는 사실 자체가 성공 경험이기도 합니다. 노력한 시간만큼 자신감이 생깁니다.

하나의 팀이 되어 동료와 신뢰 관계를 구축하는 데도 성공 경험은 반드시 필요합니다.

누군가 혼자만의 힘으로 성공한 것이 아니라 모두의 힘으로 성공했다는 것을 실감하기 위해서라도 경험을 공유하는 것이 중요합니다.

원피스에서는 '파티'가 여기에 해당합니다.

루피 일행은 싸움 뒤에는 반드시 파티를 엽니다. 함께 먹고 마시고 마음껏 웃으며 서로의 노고에 박수를 보냅니다. 이렇게 하면서 성공 경험을 모두가 공유합니다.

이때 자신의 입장에 관계없이 진심으로 즐기는 것이 중요합니다.

최근에는 회식이 줄었다고 들었는데, 이런 자리에서 당신은 진심으로 즐기고 있는지요?

상사의 눈치를 보면서 그다지 즐기지 못하는 사람도 있을 것입니다. 격식도 중요하지만 모두 함께 성공을 축하하는 것이 더 중요합니다.

이러한 점은 회식 자리에만 국한하지 않습니다.

루피 일행은 새로운 동료가 들어왔을 때도 큰 규모는 아니더라도 꼭 파티를 엽니다.

쵸파 "나…. 아~ 출배를 할까 한다!! 이렇게 신나는 거 처음이야!!"

17권 154화 《알라바스타로》

우리도 환영회를 합니다. 새로운 사람을 진심으로 받아들이고, 그 사람이 안고 있을 불안감을 해소시켜 주기 위한 자리입니다. '이 회사에 들어오길 정말 잘했다.', '이렇게 신나는 건 처음이다.'고 느낄 수 있는 단체에게는 매우 힘이

밀짚모자 해적단의 집단지성 동료효과

있으며, 이들과는 빠른 시일 내에 진정한 동료가 될 수 있습니다.

망년회나 신년회 등 어짜피 참석해야 하는 자리라면 즐기는 편이 낫습니다.

진심으로 즐기고 진심으로 웃고, 이런 경험을 일 년에 한 번이라도 좋으니 동료와 공유할 수 있다면 조직의 결속력이 확실히 높아질 것입니다.

큰 꿈을 품고 있어도 동기부여가 되지 않을 때가 있습니다.
힘들고 괴로울 때일수록 즐거웠던 시간,
행복했던 순간을 떠올려 보십시오.
그때의 마음과 추억이야말로 당신과 동료의 저력이
될 것 입니다.

밀짚모자 해적단의 집단지성 동료효과

과거의 행복했던 경험이
힘들 때의 저력으로

파티의 효과는 순간적인 것이 아닙니다.

즐거운 파티의 경험은 힘들 때 힘이 되기도 합니다. '다시 한 번 그때처럼 즐거운 파티를 열고 싶다.'는 바람이 가장 중요한 순간에서 저력으로 작용합니다.

어인은 인간의 10배나 되는 완력을 갖고 태어난다고 합니다. 그런 어인 해적단인 아론 해적단의 간부 츄와 대결하게 된 우솝.

공격을 받고 쓰러진 척하던 우솝을 두고 츄는 떠납니다. 처음에는 도망쳤다는 생각에 기뻐하던 우솝은 죽은 척하던 자신의 망신스러운 모습에 화를 냅니다.

"지금 이곳에서 전력을 다해 싸우지 않았던 내게 저 녀석들과 같은 배를 탈 자격 따위 있을 리가 없어!!! 그 녀석들과 함께 진짜로 웃을 수 있을 리가 없다구!!!!"

10권 87화 《끝난거야!!》

'다시 한번 루피 일행과 진심으로 웃고 싶다.'는 바람이 심약한 우솝을 분발하도록 만들었습니다. 원하는 것이 있었기에 우솝은 이후 강적을 무찌르고 자신감을 되찾습니다.

행복한 추억이 있다면 다시 한 번 같은 경험을 하고 싶어하는 것이 사람입니다. 이를 위해서라도 파티가 중요하며, 우리는 파티를 진심으로 즐겨야 합니다.

큰 꿈을 품고 있어도 동기부여가 되지 않을 때가 있습니다. 이런 때는 다 같이 다시 한 번 소란스럽게 웃고 성공을 나누어 가집시다. 힘들 때, 괴로울 때일수록 이렇게 해보길 바랍니다. 즐거웠던 시간, 행복했던 순간을 떠올려 보십시오. 그때의 마음과 추억이야말로 당신과 동료의 저력이 될 것입니다.

| PART 4 | 동료와 신뢰를 쌓는 방법

· 무조건적인 사랑을 받았던 경험을 떠올린다.

· 신뢰를 얻으려면 일을 일임한다.

· 내가 먼저 손을 내민다.

· 일을 완수한다.

· 자신의 소원을 부탁하고, 부탁받은 소원에 답한다.

· 규칙이나 규정과 같은 강제력에 의존하지 않는다.

· 동료의 인격이나 가치관에는 간섭하지 않는다.

· 대가를 바라지 않는다.

· 큰 목표를 향해 동료와 함께 고난을 극복한다.

· 성공 경험을 공유한다.

· 파티를 진심으로 즐기고 '다시 한 번 함께'를 다짐한다.

루피 "난 더 강해지지 않는 한 동료를 지킬 수가

없다고…!! 내겐… 강하지 않아도 함께 있고

싶은 동료가 있으니까…!!

내가 어느 누구보다강해지지 않으면

그 녀석들을 모두 잃어버리게 돼!!!"

40권 387화 《기어》

PART 5

동료와 함께 성장하는
방법

– 성장 저편에서 기다리는 '진정한 관계'란? –

루피나 조로, 상디처럼 전투력이 높은 동료가 있기에
우솝이나 쵸파, 나미조차도 "나도 강해져야 해"라고
생각합니다.
'동료의 걸림돌이 되고 싶지 않다.'는 마음이 스스로를
성장시킵니다. 실제로 우솝의 전투력은 권수가 쌓이면서
현격하게 성장합니다.

밀짚모자 해적단의 집단지성 동료효과

우숍은
'두려움' 때문에 성장했다

동료와 함께 큰 꿈을 이루기 위해서는 동료 모두의 성장과 진화가 중요합니다. 동료란 '개인'의 집합체이기 때문에 한 사람 한 사람의 성장과 진화가 반드시 필요합니다.

마지막 장에서는 동료를 통해 개인이 성장하는 방법에 대해 살펴보고자 합니다.

먼저 왜 개인 단위로 성장해야 하는지에 대해서 생각해 보고 싶습니다. 무엇이 성장의 동기가 되는지도 함께 다루어 보도록 하겠습니다.

최고의 동기부여는 모두가 공유하는 꿈을 이루는 것인데, 또 하나 매우 중요한 사실이 있습니다.

그것은 동료 관계를 유지하는 것입니다.

동료 가운데 누군가가 성장하면 본인도 성장해야 한다는 생각을 하게 됩니다. 3장에서 동료은 라이벌 관계라고 했는데, 라이벌이 가까이에 있기에 나도 성장해야 한다고 느끼게 됩니다.

루피나 조로, 상디처럼 전투력이 높은 동료가 있기에 우솝이나 쵸파, 나미조차도 '나도 강해져야 해.'라고 생각합니다.

'동료의 걸림돌이 되고 싶지 않다.'는 마음이 스스로를 성장시킵니다.

고잉 메리호의 처리 문제에 대해 루피와 싸웠을 때 우솝은 다음과 같이 말합니다.

"쓸모없는 동료는… 모두 버리고 앞으로 나아가기만 하면 되는 거야…!! 이 배를 포기할 거라면… 나도 포기해라!!!"

"솔직히 난 너희들의 그 괴물 같은 힘에는 못 따라가겠다는 생각을 늘상 해왔어!!! 오늘처럼 겨우 돈 하나도 제대로 지키지 못하는, 앞으로도 계속 너희들한테 폐만 끼치게 될 뿐일 나는…!!! 약해빠진 동료는 필요 없잖아!!!"

35권 331화 《대형 싸움》

우솝의 말이 지나치긴 하지만, 평소 자신이 '걸림돌'이 되고 있다고 힘들어 했기 때문에 이런 말을 하게 되었을 것입니다.

물론 우솝이 약하다고 아무도 비난하지 않습니다. 하지만 우솝은 스스로 느끼고 있었습니다. 자신이 약하다는 사실을 가장 잘 알고 있었기에 스스로 극복하여 성장하고자 노력합니다.

자신의 존재가 동료의 꿈을 좌절시키는 것이 아닌가 하는 두려움이 성장의 원동력이 되었습니다.

실제로 우솝의 전투력은 권수가 더할수록 현격하게 성장하고 진화합니다. 처음에는 단순히 납으로만 공격하던 우솝의 새총 공격도 보다 공격력이 강한 것으로 진화합니다.

하늘 섬에서 손에 넣은 조개^{다이얼}로 강적을 쓰러뜨릴 수 있게 되었습니다. 우솝은 강해지고 싶어 합니다. 그러나 그 이상으로 동료와 함께 있고 싶어 합니다. 우솝의 성장을 위해서는 양쪽 모두가 필요합니다.

계속 성장하는 동료와 함께 있고 싶다면
본인도 성장해야 합니다.
계속 성장하지 않으면 동료와 함께 지낼 수 없습니다.
이런 생각이 성장에 동기를 부여합니다.

한 사람의 힘에
의존하지 마!

우솝이 계속 처음처럼 허약하기만 했다면 아마도 함께 항해를 이어나갈 수 없었을 것입니다. 전투력을 따라가지 못할 뿐만 아니라 정신적으로도 어려웠을 것입니다.

모험을 이어가는 가운데 계속 성장하는 루피 일행과는 달리 해적선 고잉 메리호는 계속 망가지고 있었습니다. 이것은 배라는 사물이기에 어쩔 수 없는 일입니다. 따라서 고잉 메리호는 루피 일행과 작별 인사를 해야만 했습니다.

계속 성장하는 동료와 함께 있고 싶다면 본인도 성장해

밀짚모자 해적단의 집단지성 동료효과

야 합니다. 계속 성장하지 않으면 동료와 함께 지낼 수 없습니다. 이런 생각이 성장에 동기를 부여합니다.

밀짚모자 해적단은 동료의 균형이 잘 잡혀 있다는 점이 특징입니다. 균형이 잘 잡힌 동료 관계는 개개인의 능력을 단순히 더한 것 이상의 힘을 발휘합니다. 즉 개별 요소의 합계보다 총계가 커집니다. 사회학에서는 이를 창발성 emergence라고 부릅니다.

반대로 혼자 튀는 존재가 있으면 균형이 깨집니다. 한 사람의 힘에 의존해 버리면 그 이상의 힘을 발휘할 수 없기 때문에 팀의 능력 역시 불 보듯 뻔합니다.

그러나 개인이 전문적인 힘을 갖고 서로 협력하는 관계를 구축한다면 팀의 능력은 기하급수적으로 탄력을 받습니다.

함께 계속 성장하기에 균형 잡힌 관계가 발전하여 보다 강력하고 거대한 적을 무너뜨리는 해적단이 됩니다.

동료와 함께 성장한다면 자신의 실력 이상의 성장에 놀라는 일도 있을 것입니다. 이는 혼자서는 이룰 수 없는 큰 꿈을 이루는 원동력이 됩니다.

밀짚모자 해적단에는 멤버 한 명 한 명이 유일무이한
개성을 갖고 있습니다.
그리고 각자가 개성을 살려 다른 동료를 돕고 싶어 합니다.
동료를 돕기 위해서는 기술과 힘이 필요합니다.

밀짚모자 해적단의 집단지성 동료효과

2년 뒤 다시 모일 때까지
동료들은 어떻게 지냈나

그렇다면 어떻게 자신을 성장시켜야 할까요?

자신의 장점을 오롯이 키우는 것입니다.

장점을 키우는 일은 당연하다고 생각하겠지만, 사실 매우 중요합니다. 여기에서 말하는 장점이란 개성을 말하기도 합니다.

아무리 루피의 개성이 매력적이라 해도 모든 동료가 루피와 똑같다면 밀짚모자 해적단은 하나의 개성만 있는 집단일 뿐입니다.

9명 각자가 자신의 개성을 찾고 이를 키우는 것, 바로 이 것이 동료 사이에 반드시 필요한 존재가 되기 위한 조건이 기도 합니다.

밀짚모자 해적단은 모두가 유일무이한 개성을 갖고 있 습니다. 조로는 검술, 나미는 항해술, 우솝은 저격, 상디는 요리, 쵸파는 의술, 로빈은 고고학, 프랑키는 조선공, 브룩 은 음악.

그리고 각자가 개성을 살려 다른 동료를 돕고 싶어 합니다.

루피는 정상 결전에서 의형제인 에이스를 잃습니다. 이 때가 루피 인생 최대의 고비였습니다.

당시 다른 장소에 있었던 밀짚모자 해적단은 혼자 괴로 워할 루피를 위해 각자 자신이 힘이 되어야 한다고 생각합 니다.

쵸파는 자신의 의술로 루피의 상처를 고치고 싶어 하고, 브룩은 음악으로 용기를 북돋아주려 합니다.

다른 동료들 역시 우솝의 대사 "힘들 때 함께 있어 주지 않으면… 동료가 아니잖아~~~!!!!"60권 591화 《그게 옳은 길일까?》처럼 루피의 버팀목이 되어 주고 싶어 합니다.

이때만큼은 검술도 저격도 항해술도 아무 도움이 되지 않으며, 그저 루피의 곁을 지키면서 그가 좌절하지 않도록 격려하는 것이 중요하다고 느낍니다.

한시라도 빨리 루피에게 힘을 보태주기 위해 동료들은 3일 뒤로 약속한 집합 장소로 필사적으로 향합니다.

그러나 루피로부터 '3일 뒤가 아니라, 집합은 2년 뒤다.'라는 메시지를 받은 동료들은 그 2년 동안 자신의 힘을 가능한 많이 키울 것을 결심합니다.

쵸파 : 저 커다란 나무 위에는 도감에서도 본 적 없는 식물이 많이 나 있었어…. 연구해야겠다!

상디 : 매일 먹는 밥으로그 녀석들의 '몸 만들기'를 보조할 수 있다는 건가. 불끈 달아올랐어!! 내게 그 '공세의 요리'를 전수해줘!!!

61권 595화 《선언》

나미 : 동료들 전원의 목숨이 달려 있는걸요!! 난 '항해

사'!! 해상에 있는 동안은 책임이 막중해요!! 선장이 원하는 장소쯤이야 어디든 정확히 데려가줄 수 있어야죠!! 루피는 '해적왕'이 되겠다고 하니, 나도 고만고만한 항해사로 있을 순 없다고요!!

브룩 : 이것을 극복했을 때! 나도 조금은 루피 씨의 도움이 될 수 있지 않을는지….

로빈 : 루피… 네 아버지 곁에서 세계의 흐름에 몸을 던지면… 조금은 강해질 수 있을까. 누군가를 위해 강해지고 싶다니, 생각해본 적도 없었어…!!

프랑키 : 이봐 루피…!! 써니 호는 아직 역량을 다 발휘하지 않았어. 써니 호를 '꿈의 배'로 만들 수 있는 선장은 너다…! 지금껏 이상으로…!! 아무리 험한 모험에도 견딜 수 있는 기술을 난 익히겠어!!!

우솝 : 그 녀석도 이기지 못하는 적이 수많이 있어…!!! 루피도 패해…!!! …무리하고 있는 거야…!! 비명 지르고 있는 거야…!!! 그러니까 그 녀석에겐 이 몸의 힘이 필요하다고!!!

61권 596화 《SPECTRUM》

밀짚모자 해적단의 집단지성 동료효과

그리고 조로는 루피가 해적왕이 되는 것을 돕기 위해 숙적인 매의 눈 미호크에게 머리를 숙이며 가르침을 청합니다.

'자신의 특기로 동료를 돕는다.'

이것은 3장에서 말한 '자신이 할 수 있는 것이 무엇인지 항상 생각한다.'가 발전한 단계입니다. '자신이 할 수 있는 일'을 더욱 잘 할 수 있도록 자신의 특기를 성장시키기 때문입니다.

'상냥하다'는 것도 인간의 능력 중 하나이지만 유감스럽게도 이것만으로는 다른 사람을 구할 수 없습니다.

동료를 돕기 위해서는 기술과 힘이 필요합니다.

사람은 자신을 위해서가 아니라, 다른 사람을 위해서
훨씬 더 노력할 수 있다는 사실을 밀짚모자 해적단이
알려줍니다.
동료를 위한 노력은 성장에 가속도를 붙이거나,
자신의 한계를 뛰어넘도록 하는 효과가 있기 때문입니다.

밀짚모자 해적단의 집단지성 동료효과

'동료를 위해'가
성장에 가속도를 붙인다

많은 사람들은 자신이 잘하거나 좋아하는 것으로 사회에 공헌하기를, 혹은 동료에게 기쁨을 주기를 바랍니다.

잘하는 것이나 좋아하는 것을 잘 살려 전문가가 되면 동료로부터 인정받는 존재가 됩니다. 잘하는 것이나 좋아하는 것으로 동료끼리 서로 도우며 살아간다면 행복할 것입니다.

당신이 잘하는 일로 동료에게 기쁨을 줄 수 있는 상태를 목표로 삼으면 좋겠습니다. 현실 사회에 적용하면, 사람들에게 기쁨을 주고 그 대가로 사람들로부터 기분 좋게 돈을 받는 능력을 갖추는 일입니다.

뭐든지 하나라도 좋으니까 프로페셔널한 존재가 된다.

그러기 위해서는 역시 공부를 해야 합니다.

지금까지 왜 공부를 했나요?

아마도 '나를 위해서'가 아니었나요? 좋은 대학에 입학하는 것도, 어떤 시험에 합격하는 것도, 책으로 전문지식을 배우는 것도 모두 다 자신을 위해서입니다.

그러나 작심삼일로 끝난 기억도 많지 않은가요?

공부나 스킬업의 목적이 나만을 위한 것이라면 계속 노력하지 않아도 아무에게도 폐를 끼치지 않기 때문에, 힘든 일이 생기면 '이렇게까지 열심히 안 해도 되겠지.'라고 생각하기 쉽습니다.

그러나 '동료를 위해서'라면 어떨까요?

더할 나위 없이 소중한 동료와 함께하기 위해서라면 그

리 쉽게 포기할 수 없습니다.

사람은 자신을 위해서가 아니라, 다른 사람을 위해서 훨씬 더 노력할 수 있다는 사실을 밀짚모자 해적단이 알려줍니다. 동료를 위해서, 좋아하는 사람을 위해서, 가족을 위해서, 아이들을 위해서'라는 생각이 들면 아무리 힘들어도 열심히 하게 됩니다.

동료를 위한 노력은 성장에 가속도를 붙이거나, 자신의 한계를 뛰어넘도록 하는 효과가 있기 때문입니다.

좋은 동료를 만나 함께 성장한다면, 자신도 더욱 매력적인 사람이 될 것입니다.

루피 일행은 자신의 장점만을 단련하고 단점은 무시합니다.
장점을 키우면 단점은 눈에 잘 띄지 않습니다.
약점을 자각하면서 장점을 키우는 데에 모든 것을 겁니다.

단점은
신경 쓰지 않는 루피

지금까지 장점을 키우는 방법에 대하여 살펴보았는데, 단점이나 약점은 어떻게 하면 좋을까요?

루피 일행은 단점은 크게 신경 쓰지 않는 것 같습니다.

무언가 하나라도 잘하는 것이 있다면 단점을 보완하는 것은 다른 동료에게 부탁하면 됩니다. 루피 일행은 자신의 장점만을 단련하고 단점은 무시합니다.

조로는 시간이 흘러도 계속 방향치이고, 루피도 두근거리는 모험심을 다스리지 못해 무모한 일을 반복합니다.

장점을 키우면 단점은 눈에 띄지 않습니다.

우솝은 오로지 저격 실력만을 단련합니다. 보다 강력한 새총 무기를 개발하여 수련함으로써 본인의 단점인 나약함을 극복합니다.

우솝의 이런 자세에서 용기를 얻은 사람도 많을테지요.

모두가 루피나 조로처럼 강해질 수는 없습니다.

힘들 때 금새 꽁무니를 빼려고 하는 우솝도 '동료로 남고 싶다.'는 일념 하나로 계속 성장합니다. 여러 번 녹초가 되어 주저앉으면서도 '그런 내 자신은 싫다.'며 다시 일어납니다.

우솝에게는 천재적인 저격 실력이 있습니다. 이 실력 하나만을 집중적으로 단련함으로써 다른 단점을 보완합니다. 약점을 자각하고 장점을 키우는 데에 모든 것을 겁니다.

이런 방법은 우리가 배워야 할 점입니다.

밀짚모자 해적단의 집단지성 동료효과

실패는 자신을 성장시키기 위한 기회입니다.
루피 일행은 적괴의 싸움에서 아무리 불리한 상황에
빠져도 절대로 동료 탓으로 돌리지 않습니다.
오히려 자기 자신을 책망합니다.

조로의
책임감에서 배운다

일이 잘 풀리지 않거나 실패했을 때는 자신도 모르게 남의 탓으로 돌립니다.

이것은 자신의 성장을 위해 백해무익합니다. 실패는 자신을 성장시키기 위한 기회입니다. 다른 사람이나 사회 탓으로 돌리면 성장할 수 있는 기회를 눈앞에서 흘려보내게 됩니다.

루피 일행은 적과의 싸움에서 아무리 불리한 상황이라도 절대로 동료 탓으로 돌리지 않습니다.

밀짚모자 해적단의 집단지성 동료효과

오히려 자기 자신을 책망합니다. 자신의 무력함에 화를 냅니다.

특히 조로는 자책을 심하게 합니다. 자신이 힘이 없어 궁지에 빠지는 것을 싫어하고 항상 근력 훈련으로 실력을 키웁니다.

세계 제일의 검객인 매의 눈 미호크와 처음 대결했을 때, 조로는 미호크의 압도적인 힘 앞에 무릎을 꿇었습니다. 이때 조로는 루피에게 말합니다.

"불안에 떨게 했냐… 내가…. 세계 제일의… 검호 정도 되지 않으면… 네가 곤란하잖아……!!! 난 이제!! 두 번 다시 패배하지 않을 테다!!!! 저자를 이기고 대검호가 되는 그날 까지. 절대로 두 번 다시 난 지지 않을 거라고!!!! 불만 있나? 해적왕!!"

6권 52화 《맹세》

세계 제일의 검객이 되는 것이 조로의 꿈인데, 이것은 루피의 꿈을 이루는 것으로도 이어집니다. 루피가 해적왕이 되면 조로가 세계 제일의 검객이 되는 것이 아니라, 조로 자신이 세계 제일의 검객에 가까워지면 루피가 해적왕에 다가갑니다.

그는 크로커다일의 함정에 빠져 감옥에 잡혔을 때도 동료에게 전혀 책임을 묻지 않습니다. 조로뿐 아니라 루피나 우솝, 그리고 나미도 잡혀 있었지만 오로지 자신의 무능력함만을 자책합니다.

"제길…!! 내 검술이 조금만 더 뛰어났다면 이런 감옥 따위…!!"

19권 175화 《해방》

싸움에서 궁지에 몰려도 그것을 자신보다 약한 동료 탓으로 돌리지 않습니다. 이런 조로의 책임감은 매우 순수합니다. 그가 단순히 난폭하기만 한 사람이 아니라 동료에게 매우 소중한 인물로 자리매김한 이유를 알 수 있습니다.

밀짚모자 해적단의 집단지성 동료효과

동료의 응원으로 약했던 인물이 긍정적으로 변하고
혼자서는 포기할 법한 상황에서도 이를 악물고 노력합니다.
동료의 응원은 마지막까지 포기하지 않는
힘의 원동력이 됩니다.

비비가 바나나 악어를
무찌른 '응원'의 힘

모든 동료가 긍정적으로 행동하고 좋은 방향으로 성장하는 것이 가장 바람직하지만, 현실에서는 근본적으로 부정적인 사람도 있습니다.

이런 사람들을 긍정적으로 바꿀 수 있는 방법은 없을까요?

약한 사람의 능력을 최대한으로 발휘시킬 수 있는 방법은 없을까요?

여기에 대한 해결책 역시 원피스 속에서 찾을 수 있습

밀짚모자 해적단의 집단지성 동료효과

니다.

그것은 바로 '응원'의 힘입니다.

동료의 응원으로 약했던 인물이 긍정적으로 변하고, 혼자서는 포기할 법한 장면에서도 이를 악물고 노력합니다. 동료의 '응원'은 마지막까지 포기하지 않는 힘의 원동력이 됩니다.

왕녀 비비와 함께 알라바스타 왕국에 들어가 크로커다일이 있는 꿈의 도시 레인 베이스를 찾은 루피 일행은 크로커다일의 함정에 빠져 감옥 안에 갇힙니다.

이 감옥은 특수한 돌로 제작되어 안에서는 탈출이 불가능합니다. 탈출 여부는 감옥 밖에 있는 비비가 감옥 열쇠를 크로커다일에게서 빼앗을 수 있느냐에 달려 있습니다.

그러나 크로커다일은 감옥 열쇠를 바나나 악어라고 불리는 난폭한 악어 둥지에 떨어뜨립니다. 열쇠를 되찾기 위해서는 여러 마리의 바나나 악어를 무찔러야 합니다.

게다가 감옥이 위치한 장소는 한 시간 뒤에 침수되기 때문에 이대로라면 루피 일행은 익사하고 맙니다.

"내 힘으론 무리야!! 바나나 악어는 해왕류도 먹어 치울 정도로 난폭한 동물이라고!!? 가까이 갔다간 바로 잡아 먹혀 버릴거야!!"라며 무서워하는 비비.

루피는 감옥 안에서 무기력한 그녀를 여러 차례 응원합니다.

"우리가 여기서 죽으면!!! 누가 저 자식을 날려 버리냐!!!"
"좋아, 이겨라!! 비비!!!"
"일어나!!! 잡아먹힌다!!!"

19권 173화 《바나나 악어》

"비비!!! 눈을 떠!!! 악어가 온다!!!"
"그래!!! 부탁한다, 비비!!!"

19권 174화 《Mr.프린스》

여러 차례 적에게 당할 뻔한 비비를 루피는 계속 응원합니다. 비비의 부정적인 사고가 루피의 신뢰의 말로 인해 여러 차례 번복되면서 비비의 저력을 이끌어냅니다. 그렇기 때문에 비비는 끝까지 포기하지 않았습니다.

결국 비비는 밖에 있는 상디에게 도움을 청해 루피 일행을 감옥에서 꺼내는 데에 성공합니다.

이때 루피는 그녀에게 말합니다.

"비비~~!! 잘했어!!!"

19권 175화 《해방》

이 응원도 타이밍이 참 절묘합니다. 루피의 천재적인 리더십이 잘 드러나는 국면입니다. 달성한 순간에 감사 인사를 전하고 노력에 대하여 제대로 인정하고 보답합니다. 이렇게 힘으로씨 시모의 권계가 돈독해지고 개인의 성징이 동료의 성장으로도 이어집니다.

의지가 약한 동료가 의욕을 가질 수 있도록 적절한 타이밍에 응원하는 말을 건넵니다. 몇 번이나 몇 번이나 반복해서 이름을 부르고 말을 건넵니다. 이러한 작은 배려가 동료의 성장에 반드시 필요합니다.

부하직원이나 후배에게 긍정적인 말을 건네고 계신가요?

힘들어할 때나 괴로워할 때 격려의 말을 건네고 계신가요?

작은 배려가 계속 쌓이면 부하직원나 후배가 한 발 더 내딛는 힘으로 작용합니다.

그리고 그들이 멋지게 목표를 달성했을 때는 진심으로 칭찬해주십시오. 성장했다는 사실을 함께 기뻐해 주십시오.

성장을 인정해주는 존재가 있다는 것만으로도 인간은 몇 배, 몇 십 배로 노력할 수 있습니다. 누구나 바나나 악어를 무찌를 수 있습니다.

강한 사람에게도 응원은 필요합니다.

응원에는 상하가 없습니다.

상대가 누구든 어려워하는 사람이나 힘들어하는

사람이 주위에 있다면 응원해 주십시오.

상사나 선배에게도
응원의 목소리를

윗사람이 부하직원에게만, 선배가 후배에게만 말을 건 넬 수 있는 것은 아닙니다.

반대 방향도 가능합니다. 부하직원이 윗사람에게, 후배 가 선배에게 긍정적인 말을 건네는 것도 상당히 효과적입 니다.

평소에 우리는 '높은 자리에 있는 사람은 잘하는 것이 당연하다.'고 생각합니다. 그래서 윗사람에게 "힘내세요." 라고 말할 기회가 거의 없습니다.

그러나 대상이 사장이라 할지라도 "지금 더 노력하지 않으면 어쩌자는 겁니까!"라고 말할 수 있어야 하지 않을까요? 윗사람 입장에서 보자면 '이런 건방진…'."이라고 생각하겠지만 이 말을 듣고 정신이 번쩍 들 수도 있습니다.

이런 장면이 원피스에도 있습니다. 우솝이 루피의 힘을 북돋는 장면입니다. 밀짚모자 해적단에 상하 관계는 없지만 전투력에 있어서는 우솝보다 루피가 한 수 위입니다.

CP9과의 싸움에서 루피는 로브루치와 대결합니다. 로브루치는 CP9 중에서도 압도적으로 강한 인물이며 루피가 과거에 졌던 상대입니다.

로브루치를 무너뜨리지 않는 한 로빈은 구출할 수 없습니다. 동료를 지키기 위해 전투력을 끌어 올린 루피지만, 이상할 정도로 고전하며 쓰러지고 맙니다.

이 때 우솝이 등장합니다.

우솝 "루피!!! 너, 뭐하고 있는거야!!! 일어나-!!!"
루피 "우솝……!? 너… 왔었던 거냐…!!!?"

우솝 "야, 'CP9'의 두목 고양이!! 자, 이몸께서 상대해주겠다!!! 덤벼라!!"

루피 "멍청아!!! 그만둬, 우솝, 그러다 죽어!!!"

우솝 "닥쳐!!! 그럼 다 죽어가는 네가 뭘 할 수 있다는 건데!!?

루피 "그 자식은 내가 날려버릴 거라구!!!"

우솝 "그럼 당장 일어서!!! 그럼!! 다 죽어가는 낯짝 하지 말라고!!! 너답지 않잖아!!! 여기가 지옥도 아닌데!!! 네가 다 죽어가는 표정 짓지 말라구!!!"

루피 "······그래······ 여긴 지옥도 뭣도 아니지······!!!"

우솝 "이기고!!! 모두 다 함께 돌아가자, 루피!!!"

루피 "당연하지!!!"

44권 427화 《여기가 지옥도 아닌데》

우솝의 말에 정신이 번쩍 든 루피는 마지막 힘을 짜내어 로브루치를 무너뜨립니다.

강한 사람에게도 응원은 필요합니다. 특히 위기 상황에서는 부하직원이나 후배의 말이라 하더라도 큰 힘을 받습니

밀짚모자 해적단의 집단지성 동료효과

다. 응원에는 위아래가 없습니다. 상대가 누구든 어려워하는 사람이나 힘들어하는 사람이 있다면 응원해주십시오. 동료나 팀이란 바로 이런 것입니다.

또한 루피의 "당연하지!!!"라는 대사를 '자기 성취 예언'이라고 부릅니다. 자신이 바라는 것을 말로 표현함으로써 목적을 달성하는 것입니다. 여기에서 "나는 이제 끝이야."라며 포기하는 것이 '자기 파괴 예언'입니다. 말에는 현실을 움직이는 강력한 힘이 있습니다.

밀집모자 해적단은 9명에 불과하지만
하나하나의 인물마다 각기 다른 동료가 함께합니다.
동료 하나하나가 서로 다른 집단과 결합하며
점점 강력한 힘을 가지는 것입니다.

밀짚모자 해적단의 집단지성 동료효과

동료가 동료를 늘리면서
더욱 강해진다

강한 집단을 위해서는 이중, 삼중으로 늘어나는 동료의 네트워크가 중요합니다

즉 동료 하나하나가 각자의 방향으로 서로 다른 집단과 결합한다는 것입니다. 각자에게 서로 다른 아군이 생기면 동료는 보다 강력한 힘을 가지고 성장합니다. 결속이 점점 늘어나는 것입니다.

밀짚모자 해적단은 9명에 불과하지만 하나하나의 인물마다 각기 다른 동료가 함께합니다.

루피에게는 칠무해의 쿠자 해적단이 따릅니다. 절세 미녀의 선장 보아 핸콕은 루피에게 반한 상태이며 목숨까지 던질 정도로 루피를 좋아합니다.

프랑키에게는 '프랑키 일가'의 부하가 있습니다. 에니에스 로비 전투에서 이 부하들이 담당한 역할이 컸습니다.

밀짚모자 해적단이 뿔뿔이 흩어져 2년간의 수련에 힘쓰며 각자 이중의 동료를 늘렸는데, 바로 이 아군의 확대 효과가 매우 훌륭했습니다.

2년 후에 무사히 동료와 재회하여 샤봉디 제도에서 새로운 모험을 향해 출항하는 장면을 보면 잘 알 수 있습니다.

샤봉디 제도에 밀짚모자 해적단이 집합한다는 정보를 입수한 해군은 이들을 잡기 위해 많은 소대를 보냅니다. 루피 일행의 탈출극이 전개되는데 이때 많은 아군들이 그들을 도와 줍니다.

루피에게 패기를 가르쳐준 명왕 레일리는 해군의 발을 묶어놓는 데 일조했고, 쿠자 해적단은 해군 군함의 포격을 중단시키면서 루피의 출항을 거들어줍니다.

우솝이 스승으로 모시는 헤라클레슨이 조종하는 거대

곤충은 해군 제3소대를 격퇴합니다. 나미가 신세를 진 하늘 섬 웨자리아의 노인들은 국지적으로 비를 내려 제4소대의 화약무기를 무력화합니다.

조로가 사사한 미호크와 함께하는 페로나는 자신의 특수 능력으로 제2소대 대원들을 모두 부정적으로 만들어 전의를 상실시킵니다. 그리고 제5소대는 상디가 수련한 카마밧카 왕국의 여장 남자들에 의해 루피를 주적하는 것을 단념합니다.

이렇게 해서 밀짚모자 해적단은 각자가 만든 아군의 협력으로 무사히 샤봉디 제도를 빠져 나옵니다.

밀짚모자 해적단의 등장인물 각자가 자신의 아군을 만들면서 9명의 주위에 이중, 삼중으로 네트워크가 확대되고, 보다 거대한 힘을 가진 밀짚모자 해적단이 탄생하였습니다.

각자의 동료가 간접적으로 루피의 동료가 되면서 이중, 삼중으로 움직입니다. 이것은 신뢰하는 사람이 신뢰하는 사람은 나도 믿을 수 있다는 것을 의미합니다.

사회학에서는 이를 '관계의 이행성'이라고 부릅니다. 원래 다른 집단이었는데, 중개자와의 신뢰 관계에 의해 소속 집단을 넘어 연결되면서 거대한 세력으로 바뀌는 것을 의미합니다. 네트워크 분석에서는 '영향력'이라고도 부릅니다. 중개자에 의해 그 전에는 개별적이었던 단체가 서로 연결되는 것을 의미합니다.

이것은 동료의 성장 과정의 가장 마지막 형태에 가깝습니다. 팀 안에 머무르는 것이 아니라 팀 밖의 세계로 나아가 새로운 동료를 찾으면서 서로 연결되면서, 동료가 하나ONE PIECE가 되는 것입니다.

팀 안에 안주하지 말고 바깥 세계로 뛰어나가십시오. 회사 내부 네트워크에 머무르는 것이 아니라, 회사 외부에서도 여러분의 네트워크를 구축하십시오. 당신의 신뢰로 아군과 아군을 연결하십시오. 이것은 바로 당신만이 할 수 있는 일입니다.

또한 당신이 회사에 그리고 동료에 할 수 있는 최고의 공헌입니다.

원피스는 해적왕 골드 로저가 남긴 '보물 원피스'를 찾아 나서는 이야기인데, 그 보물이 '동료'라는 존재일지도 모르겠습니다.

위대한 항로그랜드 라인을 일주했을 때 각각 다른 지역 사람들이 '동료'라는 관계로 하나가 된다고 저는 생각합니다.

동료라는 네트워크를 모아 조금씩 연결하다 보면 아무리 어려운 꿈이나 목표라도 분명 가까워질 것입니다.

| PART 5 | 동료와 함께 성장하는 방법

· 동료 관계를 유지하기 위해 나도 성장한다.

· 동료가 전체적으로 균형 있게 성장하는 것이 중요하다.

· 자신의 장점을 키우고 그 장점으로 동료를 돕는다.

· 자신을 위해서가 아니라 동료를 위해 노력한다.

· 자신의 단점에 대해서는 별로 신경 쓰지 않는다.

· 실패를 남이나 회사 탓으로 돌리지 않는다.

· 실패의 원인은 자신에게서 찾는다.

· 강한 책임감을 갖는다.

· 말로 동료를 격려하고 감사와 칭찬도 잊지 않는다.

· 상하 관계에 상관없이 응원과 격려의 말을 건넨다.

· 팀 밖에서 또 다른 팀의 네트워크를 확대시킨다.

밀짚모자 해적단 9명의 관계도

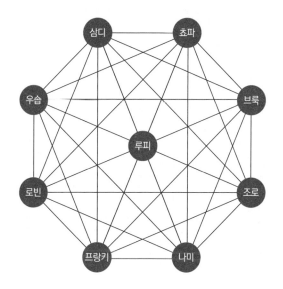

중심 인물인 밀짚모자 해적단은 9명이지만, 이야기의 진행과 함께 등장인물이 계속 늘어나며 관계성 역시 점점 복잡해진다. 적군의 체제나 관계성 역시 조금씩 명확해진다.

미래에 요구되는 루피의 '동료효과'

1997년 7월부터 연재된 오다 에이치로 대표작 '원피스'
는 악마의 열매를 먹고 특별한 능력을 갖춘 루피가 미래의
해적왕을 꿈꾸며 동지를 모으며 자신과 동료의 꿈과 자유를
찾아 그랜드라인 항로를 모험하는 이야기입니다. 원피스는
일본 서적출판부문 모든 기록을 갈아치웠고 개성있는 캐릭
터와 흥미진진한 이야기로 독자를 사로잡으며 대박 만화로
자리잡았습니다.

또한 2023년에 '원피스'를 실사화한 넷플릭스 시리즈가

전 세계적인 흥행에 성공한 가운데 두 번째 시즌 제작이 확정 되었습니다. 넷플릭스에서 공개된 '원피스'는 공개 1주일 만에 1억 4,010시간 시청을 기록하며 글로벌 부문 1위에 올랐습니다. 넷플릭스에 따르면 '원피스' 시리즈는 93개 나라에서 10위권에 진입했고, 일본을 비롯한 브라질, 독일, 이집트, 인도네시아 등 46개국에서는 1위를 차지했습니다.

이토록 원피스가 26년 동안 연재 신기록을 경신하면서 독자의 사랑을 받은 이유가 뭘까요?
아마도 인기의 비결은 시대를 반영 하듯이 중심 테마가 '동료'이기 때문은 아닐까요?

여러 세대를 거치며 요즘 세대에는 가족 형태나 직장 조직의 가치관이 변함에 따라 많은 변화를 주고 있습니다. 가정은 대가족에서 핵가족으로, 직장 조직은 수직적 관계에서 수평적 관계로 변화하고 있습니다. 형제, 사촌간의 관계보다는 친구, 직장 동료의 관계가 우선시 되고 있습니다. 즉 자기 주변의 사람들과의 관계가 더 중요하게 생각한다는 것입니다. 자신의 능력을 키우고 무언가를 쟁취하는 것보다 모두가 협력하고 함께 무언가를 달성하는 것이 중요하다는 가치관으로 바뀐 것 같습니다. 의미 있는 삶을 함께 할 신뢰할 수 있는 동료가 우리 주변에는 꼭 필요합니다.

원피스에서는 동료와의 관계에 대해서 우리에게 많은 힌트를 줍니다. 동료를 모으고, 동료와 서로 도우며 신뢰를 쌓고, 동료와 함께 성장하는 방법들을 알려줍니다. 자신의 능력을 키우고 혼자 노력하여 무언가를 쟁취하는 것보다 더 큰 꿈을 위하여 신뢰 할 수 있는 동료와 함께 성장하는 가치관을 제시합니다. 그러기 위해서는 우리에게 반드시 필요한 것이 이 책에서 언급한 루피의 '동료 효과'입니다. '동료 효과'를 익혀 보다 많은 사람과 사람이 이어지다 보면 우리 사회는 훨씬 더 밝고 건전해질 것임을 확신합니다. 그리고 혼자서는 도저히 할 수 없는 큰 꿈도 실현될 수 있습니다.

또한 원피스를 읽고 있으면 윗세대가 아랫세대에게 '부탁'하는 장면이 많이 등장합니다. '동료', '자유'는 분명 원피스의 주요 테마이지만, 이 '부탁'이라는 것도 매우 중요한 테마라고 저는 해석하였습니다.

해적왕 골드 로저가 다음 세대에게 꿈을 심어준 장면을 필두로, 명왕 레일리가 루피에게 다음 세대를 부탁하는 장면도 그렇고, 흰 수염이 다음 세대의 젊은이를 보호하기 위해 목숨을 버린 장면도 있습니다.

니코 로빈도 오하라 고고학자의 의지를 부탁받았다고 할 수 있습니다.

또한 원피스의 큰 수수께끼인 'D'에 숨겨진 비밀도 이 '부탁'이라는 것과 관련이 있을 것 같습니다. 몇 백 년이나 되는 과거아마노 공백의 100년에서부디 'D'의 의지가 무언가를 계속 부탁하는 것이 아닐까요.

윗세대는 더 이상 자신이 어린이가 아니라는 사실을 분명하게 자각하고, 아랫세대에게 성장의 기회와 장을 많이 마련해 주면 좋겠습니다.

그리고 아랫세대는 윗세대로부터 부탁받은 것을 진지하게 받아들이고 그들이 부탁한 꿈을 이루면서 크게 성장하면 좋겠습니다.

사실 우리들 누구나가 부탁하는 측면에 서 있음과 동시에 부탁받는 측면에 있기도 합니다.

루피 일행에게서 많은 것을 배웁니다.

매력 넘치는 이야기 전개가 원피스를 국민 만화의 반열에 올렸다는 사실은 분명하지만, 단순히 루피에게 공감하며 두근거리는 모험과 성장의 이야기로만 읽기에는 너무나 아쉽습니다.

밀짚모자 해적단에 공감하는 사람, 루피와 같은 삶에 동경하는 사람, 이런 사람들에게 '어떻게 살면 좋은지'를 제안하고 싶은 마음에, 이 책에서는 '동료와 관계'에 대해 설명하였습니다.

원피스의 가르침을 평소 생활에 활용할 수 있는 방법을 젊은 세대와 나누는 것이 이 책의 표면적 주제라면, 이 책의 이면적 주제는 성숙한 어른들에게 미래의 모험왕을 키우고, 이끌고, 부탁하는 어른이 되어달라고 호소하는 것입니다.

아무리 더운 여름이라도 끝이 있듯이 아무리 힘든 모험에도 끝은 있습니다.

그렇기 때문에 동료를 소중히 여기고, 인생을 사랑하고, 후회가 없도록 마음껏 살아 나갑시다.

바로 이것이 밀짚모자 루피가 전하는 메시지일 것입니다.

독자여러분은 원피스에서 동료의 소중함을 배워, 인생을 풍요롭고 활기차게 살았으면 합니다. 한 명이라도 더 많은 사람이 이 책을 계기로 '동료'을 찾아 '동료'과 함께 보다 큰 꿈을 실현하시기를 바랍니다.

끝으로 절판되어 안타까웠던 이 책이 도토리하우스에서 다시 복간되어 기쁘고 한국 독자에게 사랑받는 책이 되었으면 좋겠습니다.

야스다 유키

옮긴이 **곽지현**
한국외국어대학교 불어교육학과 졸업.
이화여자대학교 통역번역대학원 통역학과(한일 전공)를 졸업했다.
삼성 등에서 근무했으며, 현재 프리랜서 통번역가로 활동 중이다.

밀짚모자 해적단의
집단지성 동료효과

초판 1쇄 인쇄 2024년 05월 20일
초판 1쇄 발행 2024년 05월 28일

지은이 | 야스다 유키
옮긴이 | 곽지현

펴낸이 | 정 욱
펴낸곳 | 도토리하우스
디자인 | 황보라

주 소 | 10384 경기도 고양시 일산서구 킨텍스로 284 (1906-101)
전화 031-921-3773 팩스 0504-234-7557 이메일 dotorihouse21@naver.com
출판등록 2018년 01월 08일 제 2018-000005호

ISBN 979-11-963241-6-2 13320

도토리하우스(DOTORIHOUSE)는 현대인의 지적 교양을 추구하는 출판사입니다.
독자 여러분의 참신한 아이디어와 원고 투고를 항상 기다리고 있습니다.
간단한 개요와 취지, 연락처를 메일로 보내 주시면 연락드리겠습니다.